Bayerns Märchenkönig

Anton Sailer

Bayerns Märchenkönig

Das Leben Ludwigs II.

in Bildern

Bruckmann

Schutzumschlag/Vorderseite:
König Ludwig II. erteilt den Ritterschlag.
Gouache, Friedrich Eibner zugeschrieben, um 1875.

Schutzumschlag/Rückseite:
Entwurf für die Ritterburg auf dem Falkenstein.
Gouache von Christian Jank, 1883.

Gegenüber dem Haupttitel:
König Ludwig II. in bayerischer Generaluniform.

Gedruckt auf chlorarm gebleichtem Papier.

Die Deutsche Bibliothek – CIP-Einheitsaufnahme
Bayerns Märchenkönig: das Leben Ludwigs II. in Bildern/
Anton Sailer. – 4., durchges. Aufl. –
München : Bruckmann, 1992
ISBN 3-7654-1894-3
NE: Sailer, Anton (Hrsg.)

4., durchgesehene Auflage 1992
© 1961 F. Bruckmann KG, München
Alle Rechte vorbehalten
Herstellung: Bruckmann München
Printed in Germany
ISBN 3-7654-1894-3
(ISBN 3-7654-1612-6 2. Auflage)

Inhalt

Ludwig, der erste Sohn des bayerischen Kronprinzen Maximilian

Dem bayerischen Kronprinzen Maximilian und seiner Gemahlin Marie wurde in der Sommerresidenz Nymphenburg am 25. August 1845, 28 Minuten nach Mitternacht, der erste Sohn geschenkt. Götter und Halbgötter sahen am nächsten Tag von der Decke des großen Saals im Nymphenburger Schloß auf die feierliche Taufe des Stammhalters der Wittelsbacher herab. In München aber ging das Gerücht, man habe die Geburt zwei Tage geheimgehalten, um dem Großvater, Ludwig I., eine Freude zu bereiten, der am 25. August sein

Geburts- und Namensfest zugleich beging. Ob das nun auf Wahrheit beruht oder nicht, bedeutungsvoll bleibt, daß die Legendenbildung um Ludwig bereits bei seiner Geburt einsetzte. Entrückte Traumwelt und harte Wirklichkeit, strahlender Glanz und düstere Tragik mischen sich schicksalhaft im Leben des Märchenkönigs, der sein Bayernland heiß geliebt hat – und seinem Andenken ist dieses Buch gewidmet, das mit Bilddokumenten den einzigartigen Weg des Unvergeßlichen aufzeigen will.

Die königliche Familie

Ludwig I. verzichtet nach seiner Romanze mit Lola Montez am 20. März 1848 freiwillig auf die Krone; der dreijährige Ludwig wird Kronprinz. Wenige Wochen nach der Thronbesteigung Maximilians, am 27. April, kam der zweite Sohn, Otto, zur Welt. Im Gegensatz zu Ludwig, der schon während seiner Kindheit Herrschergefühle zeigte und von der Genialität seines Wesens gezeichnet war, besaß Otto ein lichtes, der Mutter verwandtes Naturell, das ihn zu ihrem Liebling machte. Erich Correns hat die königliche Familie im Schloßgarten zu Hohenschwangau *(linke Seite)* dargestellt. Den beiden anmutigen und schönen Kindern gehörte die ganze Liebe des bayerischen Volkes.

Ein Grundzug der Wittelsbacher

»Die Baulust hat er von mir!« ruft der alte Feuerkopf Ludwig I. begeistert aus, als sein Enkel Ludwig nach der Christbescherung von 1850 mit einem Baukasten immer neue Türme zusammenfügt. Und als Hofmaler Ernst Wilhelm Rietschel den verträumten Kronprinzen porträtiert, darf auch dieses Spiel auf dem zarten Aquarell nicht fehlen.

Kindheit

Die Mutter liebte es, mit ihren Kindern Schwäne zu füttern *(linke Seite)*. Ludwig aber empfand deren majestätische Erscheinung so lebhaft, daß er gerne Schwäne zeichnete *(rechts)*. Sein starkes Gefühl für Würde und das Bewußtsein eigener Vorrechte wurde dabei von der übertriebenen Servilität der Dienerschaft noch genährt. In einem Brief des 8jährigen Ludwig an seine Mutter steht der Satz: »Meilhaus und Herr Klaß lassen sich Dir zu Füßen legen« *(unten)*. Diese Unterwürfigkeit forderte er auch für sich selber, und sogar noch seinen Bruder Otto betrachtete er als seinen »Vasallen«. Es geschah in Berchtesgaden, daß er ihn einmal wegen »Ungehorsams« knebelte und »hinrichten« wollte. Eine strenge Strafe dafür verleidete ihm den Ort für immer.

11

Jugendzeit

König Maximilian *(links)* war ein schlichter, ungemein gewissenhafter Herrscher, der Wissenschaft und Dichtkunst förderte. Zu Hause neigte er zu puritanischer Strenge. Im Privatunterricht Ludwigs mußte der Stundenplan auf die Minute eingehalten werden, seine ungleichmäßigen Leistungen aber wurden mit übertriebener Härte bestraft. Ein Umgang mit Altersgenossen blieb Ludwig versagt. Seine Persönlichkeit sollte sich »in der Stille« formen. Der Lehrplan hatte eine Allgemeinbildung zum Ziel, war jedoch so reich und überladen, daß er kein solides Wissen vermitteln konnte. Schlimm war auch das unglaublich karge Essen, das damals in vornehmen Kreisen üblich war. Der Kronprinz ist nie satt geworden, und dieser unvernünftigen Ernährungsweise verdankte er auch später seinen rapiden Zahnverfall. Es nutzte nicht viel, daß die brave alte Liesl, eine Zimmermagd, ihm eigene Reste zusteckte und sogar heimlich Eßwaren für ihn kaufte. Auch wuchs er in völliger Weltfremdheit auf. Nie bekam er Geld in die Hände, und als er, volljährig, die erste Geldbörse mit etwa 50 Mark erhielt, wollte er sofort für seine Mutter einen ganzen Juwelierladen auskaufen. Ludwig konnte gar nicht begreifen, warum das nicht möglich war. Kein Wunder, daß er sich später an die Enge seiner Jugendzeit ungern erinnerte. Die Mutter verstand ihn nicht. Sie war eine unkomplizierte Frau, gewiß herzensgut, doch ohne irgendwelche geistigen Anlagen. Beichtvater der Prinzen war Abt Haneberg, ein gescheiter und gütiger, weltoffener Mann, bei dem die Königin im Jahre 1874 zum katholischen Glauben übertrat.

Die sehr hübsche Königin, eine Prinzessin von Preußen, fühlte sich in der urwüchsigen Alpenlandschaft äußerst wohl. Damen stiegen damals noch nicht im Gebirge herum – sie tat es und erfand dazu ein flottes Kostüm, unter dem praktische Hosen hervorlugten. Zu gerne sah sie auch ihre Kinder in Bergausrüstung *(linke Seite)*, um mit ihnen auf die Almen und noch höher in die Felsenwelt zum Edelweißpflücken zu ziehen. Dies war – wie könnte es auch anders sein! – die Lieblingsblume Maries, der ersten in Bayern bergsteigenden Berlinerin.

Bestimmende Eindrücke: Schwäne und Romantik

Im Schwanenrittersaal von Hohenschwangau hatte Ludwig die Lohengrin-Sage vor Augen. Insbesondere den »Abschied Lohengrins« *(unten)*, bei dem die Szenerie das Schloß Hohenschwangau und der Alpsee bilden, konnte er stundenlang betrachten. Im Tassilo-Zimmer wieder, dem Schlafraum des Vaters, sah er an den Wänden die Geschichte von »Rinaldo und Armida« *(links)*, und wenn er hinab in den Schloßgarten blickte, schickte dort inmitten von Rosen ein wasserspeiender Schwan eine glitzernde Fontäne hoch. Dies und die versponnene Romantik der Burg nährte Ludwigs Phantasie.

Nach jahrelangen Bitten erlaubte König Max endlich seinem Sohn, die Lohengrin-Oper zu besuchen. Das war 1861, Ludwig zählte 16 Jahre und gab sich wie im Fieber einer schrankenlosen Begeisterung hin. Schon zuvor hatte er Wagner heimlich gelesen, nun lernte er alles von ihm buchstäblich auswendig und verschlang auch die Prosaschriften, von denen ihm »Das Kunstwerk der Zukunft« den stärksten Eindruck machte. Er hatte es zufällig bei Herzog Max auf dem Klavier liegen sehen, und man lieh es ihm lachend, denn

wer nahm schon Wagner ernst. Von seinem Zeichenlehrer ließ er sich nach Angaben Kostüme und Szenerien aus der Wagnerwelt entwerfen, und auf Spaziergängen spähte er nach »Lohengrin-Typen« aus. Das alles konnte seiner Umgebung nicht verborgen bleiben, doch hielt man seine Wagnerbegeisterung für eine harmlose Schwärmerei, die vorübergehen würde. Ludwig aber war vollends verzaubert, und als er durch das Burgtor Hohenschwangaus die Welt der Wirklichkeit betreten mußte, ging er daran, sich neben ihr mit königlicher Phantasie ein eigenes Traumreich zu schaffen.

Eigenwillig und hochgemut –
Kronprinz Ludwig im Jahre 1862.

Der Löwenbrunnen im
Schloßgarten von Hohenschwangau
mit wasserspeienden Löwen.
Ein Werk Ludwig Schwanthalers.

Blick aus dem romantischen Burgtor Hohenschwangaus.

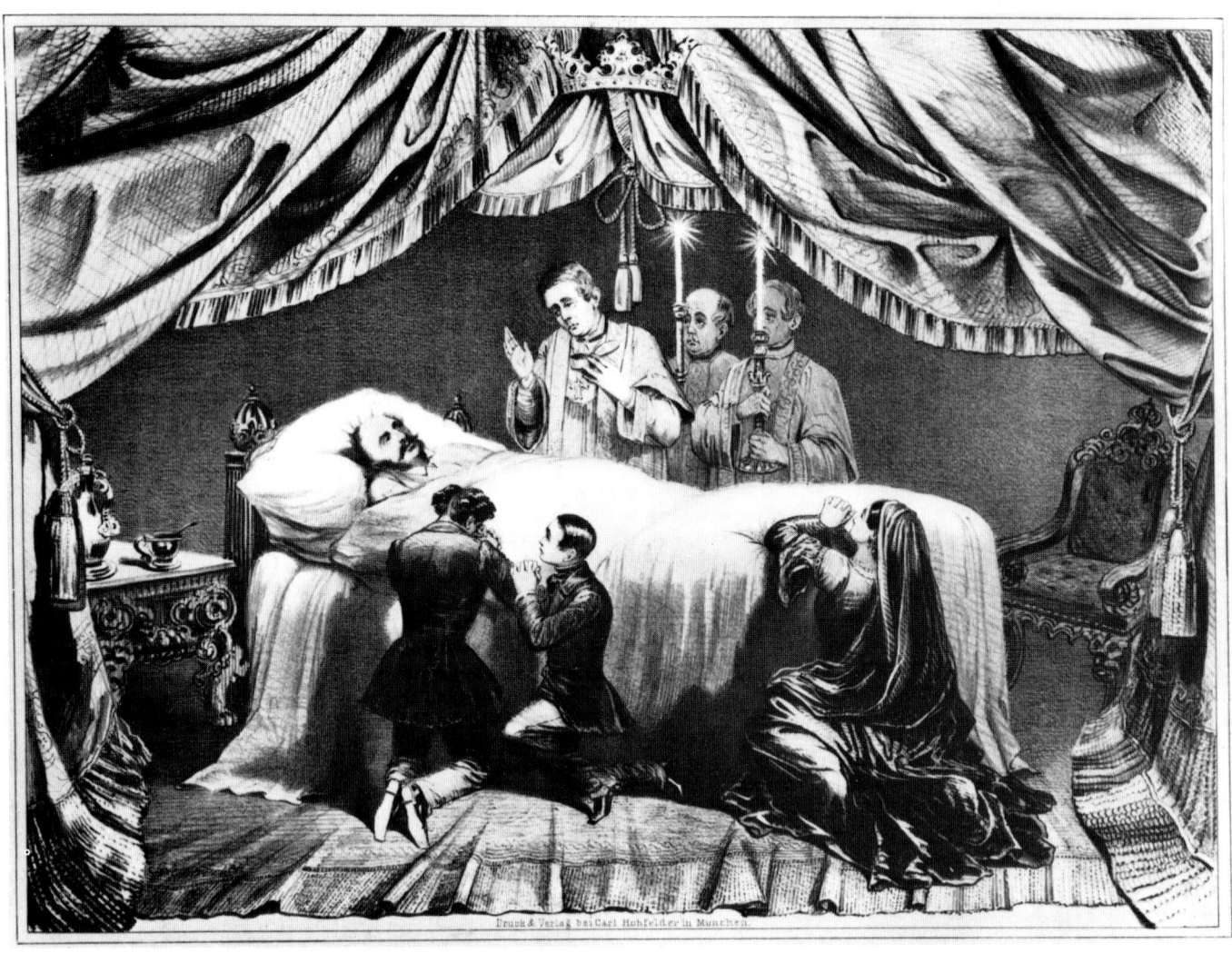

Maximilian II. auf dem Totenbett. Die Königin, Kronprinz Ludwig und Prinz Otto nehmen Abschied von dem teuren Toten.

Tod Maximilians II.
und Thronbesteigung Ludwigs II. ·

Rechte Seite: Ludwig II. im Krönungsmantel.

Maximilian II., seit Jahren kränkelnd, weilte Ende 1863 zur Erholung in Italien, als ihn die politische Lage zur Heimkehr zwang. Der Tod König Friedrichs VII. von Dänemark löste einen Krieg Preußens und Österreichs um Schleswig-Holstein aus. Beide Staaten strebten im »Deutschen Bund«, der auf der Gleichberechtigung beruhte, um die Vorherrschaft – einstweilen gingen sie gemeinsam gegen Dänemark vor. In diesem Kampf bestand die modernisierte preußische Armee ihre Bewährungsprobe – und von da an verbreitete sich im Süden ein heilloser Respekt vor dem Drill und den organisatorischen Fähigkeiten Preußens. Die bayerische Politik aber war von Anbeginn gegen diesen Krieg und seine Folgen gewesen. Die schwierige Lage verzehrte buchstäblich Maximilians Kräfte, und nach kurzer, beunruhigender Krankheit wurde er am 9. März 1864 bettlägerig. Schon am 10. sahen die Ärzte keine Hoffnung mehr, und gefaßt nahm er die heiligen Sterbesakramente. Danach sprach er noch mit dem Kronprinzen. Sie waren allein. Zuvor aber, als er um fünf Uhr früh die letzte Wegzehrung erhält, ruft die Bennoglocke der Frauenkirche zum Gebet um ihn, und das ist ein unüberhörbares Signal für die bestürzte Bevölkerung. In immer dichteren Scharen strömt sie herbei, drängt in die Residenz, füllt die Höfe, Treppen und Vorzimmer, und so stirbt Maximilian inmitten einer einzigen großen Familie. Fünfzehn Minuten vor der Mittagsstunde erlischt sein Atem. Erzbischof Gregorius von Scherr tritt ins Vorzimmer hinaus und verkündet mit fester Stimme: »Er lebt im Himmel! Wir haben einen guten König verloren, beten wir, daß wir einen ebenso guten an seinem Sohn erhalten!« Als Ludwig endlich das Sterbezimmer verläßt, verneigt sich ein Höfling vor ihm: »Majestät!« Die Anrede trifft ihn gleich einem Peitschenhieb, er wird kreidebleich. Sein Königtum hat begonnen.

»Gott wird Bayern nicht verlassen!«

Dies rief Stiftprobst Ignaz von Döllinger *(links)*, als am 14. März Maximilian zu Grabe getragen wurde. In seiner Gedächtnisrede appellierte er zum Schluß an die Treue des Volkes und warnte davor, dem jugendlichen Monarchen »die Dornen des Mißtrauens und der Scheu ins Haupt zu drücken... denn wir bedürfen eines Königtums, das auch im Sturme feststeht wie eine Eiche«. Sollte er damit, wie manche sagten, Absetzungspläne durchkreuzt haben? Im Volk jedenfalls konnte es an wahrer Zuneigung gewiß nicht fehlen, dem jungen Monarchen waren schon die Herzen zugeflogen, als man ihn hinter dem Sarg des Vaters einherschreiten sah – bleich und mit dunkelsamtenen Augen. Ludwig II. leistet im Staatsrat, den sein Oheim Prinz Luitpold präsidiert, den traditionellen Eid. Sein Ernst, seine Würde ergreifen die Versammlung. Und während die alten Staatsräte feuchte Augen bekommen, richtet Ludwig, »schön und herrlich in der Jugend Glanz«, an den Staatsminister von Schrenck die Worte: »Der allmächtige Gott hat meinen teuren, vielgeliebten Vater von dieser Erde abberufen. Ich kann nicht aussprechen, welche Gefühle meine Brust durchdringen. Groß und schwer ist die mir gewordene Aufgabe. Ich hoffe auf Gott, daß er mir Licht und Kraft schicke, sie zu erfüllen. Treu dem Eid, den ich soeben geleistet, und im Geiste unserer durch fast ein halbes Jahrhundert bewährten Verfassung will ich regieren. Meines geliebten Bayernvolkes

Das Kabinett rebelliert – aber die Herren haben sich verrechnet

Wohlfahrt und Bayerns Größe seien die Zielpunkte meines Strebens. Unterstützen Sie mich alle in meinen inhaltsschweren Pflichten.«

Die schüchterne Höflichkeit Ludwigs, seine rührende Frage bei jedem Problem: »Wie hat das mein Vater gemacht?« hatten einige Herren des Ministeriums – das noch von Maximilian berufen war – den neuen Herrscher unterschätzen lassen. Sie ließen es nicht nur an schuldigem Respekt fehlen, sondern gedachten, Ludwigs Befehle zu ignorieren und ihm dafür ihre eigenen Meinungen aufzuzwingen. Man hatte sich untereinander rasch verständigt und war fest davon überzeugt, daß Ludwig nicht den Mut und vor allem nicht die Energie aufbringen würde, sich durchzusetzen. Wie ein Blitz aus heiterem Himmel aber traf sie wenige Wochen später eine Entscheidung des Königs, die er völlig selbständig getroffen hatte: kaltblütig nahm er seinen ersten Ministerwechsel vor. Er sprach unverhüllt von »bürokratischer Meuterei«, warf zwei Herren sofort hinaus, zwang aber auch den Freiherrn von Schrenck *(rechts)* zur Demission. Den hatte im übrigen schon Maximilian als unfähig bezeichnet, und ausgerechnet er war am weitesten gegen Ludwig vorgeprellt. Wer blieb und noch einflußreicher wurde, war der 34jährige Kabinettschef Franz Xaver Pfistermeister. Ein konservativer Altbayer aus der Oberpfalz, Sohn eines Dorfschullehrers, pflichttreu und zuverlässig.

Ein neunzehnjähriger Jüngling, voll Geist und Seele

Bedeutende Zeitgenossen sind sich einig, mit Ludwig den liebenswürdigsten aller Monarchen zu haben, und übereinstimmend wird hervorgehoben, daß des Königs Herz »rein und unverdorben« sei. Liberale Beobachter allerdings, wie der Abgeordnete Graf Hegnenberg-Dux, sehen beunruhigt auf ihn, der »die Wonne des göttlichen Königtums« zunehmend genießt. Seit 1848 war die monarchische Herrschaft durch ein Staatsgrundgesetz weiter beschränkt worden – aber es gibt Regierungsbeamte, die den Jünglingsrausch Ludwigs, den hochschießenden Drang nach völliger Souveränität fördern, und zu ihnen gehört der Ministerialassessor Johann Lutz. Daß ihn nur persönlicher Ehrgeiz treibt, stellt sich erst später heraus, als er gegen seinen König in unheilvollster Weise die Drähte zu ziehen weiß. Eine weitere Figur ist erwähnenswert: Graf Max Holnstein. Er ist der Typ des Abenteurers, der seine Chancen skrupellos wahrnimmt. Holnstein – dessen Geschlecht einer freien Liebesverbindung des Kurfürsten Karl Albrecht mit einer Hofdame entstammte – hat eine reiche Heirat gemacht und versteht es nun, von Ludwig zum Oberstallmeister befördert zu werden. Obwohl oder vielleicht gerade weil sein Wesen dem des Königs völlig entgegengesetzt ist, behält er stetigen Einfluß und wird als »Roßober« – wie ihn die Münchner auf Grund seines Amtes nennen – noch eine Rolle spielen. Ludwig erfüllt einstweilen seinen neuen Pflichtenkreis voll Eifer. Pfistermeister muß ihm regelmäßig schon um neun Uhr Vortrag halten, und oft genug läßt er täglich mehrmals im Kabinett anfragen, ob nicht neue Vorgänge zur Unterschrift

Männer um den jungen König

Johann Lutz. Ein ehrgeiziger Mann, der unter Ludwig Karriere macht und sich später für einfach unersetzlich hält.

Graf von Hegnenberg-Dux, ein gerader, mutiger Charakter. 1871 wird er Ministerpräsident, stirbt aber bereits 1872.

Kabinettssekretär von Pfistermeister, Typ des redlichen Beamten. Er führte, als 34jähriger, den König in sein Amt ein.

eingelaufen wären. Gerne unternimmt er stundenlange, scharfe Ritte, ein weiteres Merkmal – das seine Kritiker überbetonen – ist seine Vorliebe für Veilchenbowlen. Daß es ihm jedoch nicht um das Trinken geht, das hat schon Bismarck *(rechts)* in der Kronprinzenzeit Ludwigs beobachtet. Im August 1863 war er sein Tischnachbar im Schloß Nymphenburg gewesen – und er notierte dazu: »... In den Pausen des Gesprächs blickte er über seine Frau Mutter hinweg an die Decke und leerte ab und zu hastig sein Champagnerglas, dessen Füllung, wie ich annahm, auf mütterlichen Befehl verlangsamt wurde, so daß der Prinz mehrmals sein leeres Glas rückwärts über seine Schulter hielt, wo es zögernd wieder gefüllt wurde, und er hat weder damals noch später die Mäßigkeit im Trinken überschritten. Ich hatte jedoch das Gefühl, daß ihn die Umgebung langweilte und er den von ihr unabhängigen Richtungen seiner Phantasie durch den Champagner zu Hilfe kam...«

Vieles wird in der Folgezeit Ludwig tödlich langweilen. Noch aber versagt er sich nicht der Öffentlichkeit. Man sieht ihn bei der Fronleichnamsprozession *(unten)* ebenso wie auf dem Oktoberfest, man sieht ihn im Theater und in den Straßen zu Wagen oder zu Fuß. Alles stünde zum Besten, wenn er nicht kurz nach Regierungsantritt einen »Dämon« zu sich geholt hätte: Richard Wagner.

Richard Wagner

Schwan und Kreuz waren nach dem ersten »Lohengrin«-Erlebnis das Briefsiegel Ludwigs geworden, und kurze Zeit nach seiner Thronbesteigung schickte er Pfistermeister auf die Suche nach Richard Wagner. Mit einem Porträt des Königs solle er ihm einen Rubinring übergeben – denn so wie dieser Rubin glühe auch Ludwig vor Verlangen, den Schöpfer des »Lohengrin« kennenzulernen. Pfistermeister fährt nach Wien und findet Richard Wagners Wohnung gepfändet vor. Einen Bleistift und eine Feder, die der geflohene Meister benutzt hatte, darf der Sekretär mitnehmen, und nach einer Irrfahrt über die Schweiz stöbert er den Verfemten in Stuttgart auf. Wagner vermutet einen dummen Scherz, als ihm »der Sekretär des Königs von Bayern« gemeldet wird, und läßt sich nicht sprechen. Immerhin kann Pfistermeister seinen Auftrag am nächsten Tag erledigen, und sofort fahren beide nach München. Wagner, dem es offensichtlich miserabel ging, bestieg dabei ohne Zögern ein Abteil erster Klasse – und das hat der wackere Pfistermeister später immer wieder als »typisch für den Verschwender« erzählt. Am 4. Mai nachmittags konnte Ludwig in das zerfurchte Antlitz Wagners blicken. Die äußere Erscheinung enttäuschte ihn, auch war er nicht auf die sächselnde Stimme gefaßt. Gleichwohl gab er sich ein stummes Treuegelöbnis, das dem Werk Wagners galt. Aus diesem Mäzenatentum heraus entschloß er sich auch bereits Ende November 1864, für die Werke des Bewunderten ein Monumental-Theater zu bauen.

Oben: Dankbrief Richard Wagners an König Ludwig, datiert vom 3. Mai 1864.

Links der Komponist. Wagner hatte ein abenteuerliches und gehetztes Leben hinter sich. Nach endlosen Kämpfen war er Hofkapellmeister in Dresden geworden, beteiligte sich dort jedoch am Volksaufstand von 1849 und floh dann nach Zürich. Jahrelang wurde er steckbrieflich verfolgt, der polizeiliche Hinweis, unten, erschien am 11. Juni 1853. Aber der Revolutionär in ihm war längst politisch enttäuscht. Die Aufführung seines neubearbeiteten »Tannhäuser« 1861 in Paris entfesselte einen Theaterskandal, Wagner wandte sich nach Wien und entzog sich nach wenigen Jahren einer erbitterten Gläubigerschar durch Flucht.

Politisch gefährliche Individuen.

652) **Wagner,** Richard, ehemaliger Kapellmeister aus Dresden, einer der hervorragendsten Anhänger der Umsturzparthei, welcher wegen Theilnahme an der Revolution in Dresden im Mai 1849 (Bd. XXVIII, S. 220 und Bd. XXXII, S. 306) steckbrieflich verfolgt wird, soll dem Vernehmen nach beabsichtigen, sich von Zürich aus, woselbst er sich gegenwärtig aufhält, nach Deutschland zu begeben. Behufs seiner Habhaftwerdung wird ein Portrait Wagner's, der im Betretungsfalle zu verhaften und an das königl. Stadtgericht zu Dresden abzuliefern sein dürfte, hier beigefügt. 11/6. 53.

Wagner alarmiert den Architekten des Züricher Polytechni-
kums, Gottfried Semper, der gegen Jahresende nach München kommt und vom König in Audienz empfangen wird.
Drei Jahre später unterbreitet er ihm ein Modell des Theaters
(oben), und begeistert stimmt Ludwig zu. Gleich dem Maxi-
milianeum soll es auf den Isarhöhen stehen, mit einer Auf-
fahrtsallee von der Nordostecke der Residenz über eine
neue Brücke. Diese Prachtstraße wird später, etwas nörd-
licher, als Prinzregentenstraße gebaut, das Festspielhaus aber
bleibt eine Chimäre. Das Kabinett läuft Sturm, als bekannt
wird, daß sich die Gesamtkosten auf sechs Millionen Gulden belaufen, dazu kommt der hartnäckige Widerstand
Münchens, und Ludwig muß endlich verzichten. Seine königliche Macht reicht nicht aus, und ab dieser ersten großen
Enttäuschung datiert seine Abneigung gegen die Residenzstadt. Natürlich findet auch Wagner vom ersten Tag an offene und heimliche Widersacher, doch was tut's. Der König
bezahlt seine Schulden und sorgt für ihn in der großzügig-
sten Weise. Die erste Zahlung der Hofkasse beträgt 18 000,
die nächste 40 000 Gulden, weitere Darlehen folgen, neben
einem Gehalt von 4000 Gulden. Aber eine geschäftige Fama
verbreitet die Mär von weit höheren Summen, und ob man
sie glaubt oder nicht – eine Tatsache steht fest: Ludwig ist
wie behext. Ein kecker Scherenschnitt *(rechts)* versinnbild-
licht das treffend. Wie betäubt aber erlebt Wagner selber diese Wende seines Lebens, und bangend schreibt er: »...Er ist
leider so schön und geistvoll, seelenvoll und herrlich, daß
ich fürchte, sein Leben müsse wie ein flüchtiger Götter-
traum in dieser gemeinen Welt zerrinnen...Mein Glück ist
so groß, daß ich ganz zerschmettert davon bin, wenn er nur
leben bleibt, es ist ein zu unerhörtes Wunder.«

Kunst und Gunst.

Eine ungewöhnliche Freundschaft

Für Ludwig kommt die glücklichste Zeit. Mitte Mai hat er seine Sommerresidenz in Schloß Berg am Starnberger See *(unten)* bezogen, und eine Viertelstunde davon entfernt wurde Richard Wagner untergebracht.

Ein Seelenbündnis idealster Natur schenkt beiden unvergeßliche Wochen, und willig gibt sich Ludwig dem unerschöpflichen Redefluß Richard Wagners hin. Der ton- und wortgewaltige Magier nutzt dabei die Stunde und bewegt ihn, Hans von Bülow zu berufen, Peter Cornelius und weitere Freunde, um sich in München den nötigen Rückhalt zu sichern. In einem bunten, schillernden Phantasiekostüm sitzt er in dem geräumigen Pelletschen Landhaus *(rechts)* am Arbeitstisch und entwirft auf Jahre hinaus ein Programm, das Ludwig überwältigt. »Tristan«, die »Meistersinger«, der gesamte »Ring«, »Parsifal« – das sind Klänge, von denen der staunende Jüngling nicht genug hören kann. Und doch vergißt einstweilen Ludwig darüber die Staatsgeschäfte nicht.

Elisabeth, Kaiserin von Österreich

Erste Begegnung mit Elisabeth

Für vier Tage wollte Ludwig Mitte Juni das österreichische Kaiserpaar in Bad Kissingen besuchen – und blieb vier Wochen, ohne während dieser Zeit auch nur eine Zeile an Richard Wagner zu richten. Innerlich völlig frei geblieben, widmete er sich den hohen Gästen, zu denen sich noch das Zarenpaar gesellte. Das mondäne Weltbad schwärmte von ihm, und es gab kein weibliches Wesen, das die beiden Kaiserinnen nicht glühend beneidete, die diesen Apoll in ihre Mitte nehmen konnten *(unten)*. Ludwig aber verband mit der bildschönen Elisabeth fortan eine tiefe, unzerstörbare Freundschaft. Um acht Jahre älter als er, und mit dem Instinkt einer gereiften Frau, ahnte sie seinen dunklen Weg und duldete die stürmische Verehrung, mit der er sie umgab. Er durfte sie »Taube« nennen, während er für sie der »Adler« wurde – seufzend schrieb sie aber hernach in ihr Tagebuch: »der arme König Ludwig.« Doch wenn sich seine Huldigungen auch in untadeligen Grenzen hielten – es war ein Spiel mit dem Feuer.

Und auch nur von dieser Begegnung her ist später Ludwigs Verhalten gegen Sophie, der jüngeren Schwester Elisabeths, zu verstehen. Die Tage bringen köstliche Stunden, Bad Kissingen verwöhnt seinen illustren Gast – und am Starnberger See sitzt Richard Wagner, einsam und gekränkt. Aber schon kommt Frau Cosima, die Gattin Bülows, samt den Kindern. Bis der Gatte eintrifft, ist eine leidenschaftliche Frau mit einem genialen Mann allein...

Klatsch und Skandale

Nach dem Kissinger Aufenthalt kehrte Ludwig nur kurz zurück, um sich dann in Bad Schwalbach der Kaiserin von Rußland und deren zehnjähriger Tochter zu widmen. Diese äußerlichen Trennungen von Wagner ließen jedoch keineswegs seine glühende Bewunderung erkalten. Anfang Oktober zog Wagner nach München in ein Gartenhaus *(rechte Seite oben)* der Briennerstraße, das der König für ihn gemietet hatte. Und nun erst begann in München ein Murren und Rumoren. Das verschwenderische Leben Wagners war der erste ärgerliche Punkt, sein vertrauter Umgang mit der eleganten, seidenrauschenden Cosima aber erregte noch mehr die Gemüter. Die ehrgeizige, unglaublich sichere und intelligente Frau bestrickte dabei auch persönliche Gegner – nur den König vermochte sie nicht für sich einzunehmen, er hegte tiefstes Mißtrauen gegen sie. In der fatalsten Situation befand sich ihr Gatte, aber Bülow wußte den immer deutlicheren Sieg des Stärkeren mit Haltung hinzunehmen. Äußerst unwillkommen war Wagner dem Musikdirektor Franz Lachner *(rechts)*. Er, ein Mann der alten Schule, sollte den »Fliegenden Holländer« einstudieren, er wurde prompt darüber krank. Begierig griff Wagner selbst nach dem Taktstock und führte sein Werk zu großem Erfolg. Trotzdem stand alles, der königliche Hof, Klerus, Regierung und Volk gegen ihn – und trotzdem begannen auf Ludwigs Gebot nun die Proben zu »Tristan«. Überwältigt, »von der göttlichsten Liebe getragen«, notierte Richard Wagner: »Es ist dies das Glück, welches einzig voll und ganz den Leiden entspricht, die ich bis in das äußerste Elend erdulden mußte«.

Das Münchner Heim Wagners,
Aquarell von L. Wolf Trautmann.

Linke Seite:

Oben: Karikatur aus dem Münchner Witzblatt »Punsch« auf den ewigen Geldbedarf Richard Wagners, der wieder einmal der Kabinettskasse einen Besuch abstattet.

Danebem: Richard Wagner und Cosima.

Unten: Musikdirektor Franz Lachner.

Rechts: Hans von Bülow.

Eine Karikatur, die Bülows verächtlichen Ausspruch »Schweinehund« illustriert.

Ein paar Bülow'sche Sperrsitzreihen.

Der »schnodderige« Herr von Bülow

Bis in die letzten Kleinigkeiten bestimmte Richard Wagner alle Vorbereitung für die Aufführung seines Musikdramas, das bisher als unaufführbar gegolten hatte. Die musikalische Einstudierung von »Tristan und Isolde« lag bei Hans von Bülow. Einundzwanzig Orchesterproben waren nötig. Dekorationen und Kostüme verschlangen erstaunliche Summen. Das sprach sich herum, die Presse gab sich immer giftiger gegen die »Wagnerclique«, und dabei bekam auch Bülow seinen Teil ab. Als er dann das Orchester verstärken wollte und der Maschinenmeister ihm entgegenhielt, daß in diesem Falle dreißig Sitzplätze geopfert werden müßten, verlor er die Nerven und höhnte: »Na und? Was liegt denn daran, ob dreißig Schweinehunde mehr oder weniger hineingehen!« Diese Entgleisung brachte München zum Kochen und das »Bayerische Volksblatt« drückte die allgemeine Stimmung am treffendsten aus, wenn es schrieb: »Sollte Hans von Bülow, dieser Bürstenabzug echt preußischer Selbstüberschätzung und Grobheit, sich dermalen in die patriotischen Räume des Hofbräuhauses verirren, das ›Zerviertelní‹ wäre noch das mindeste, was ihm geschähe...«

In gespanntester Atmosphäre vergingen die Tage, und doch wuchs »wie ein Zaubertraum das Werk zur ungeahnten Wirklichkeit«. Da nutzte kein Widerstand, und wenn auch München bisher nur gewöhnt war, daß Maler und Dichter sich königlicher Huld erfreuen durften – Ludwig räumte Wagner alle unüberwindlich erscheinenden Hindernisse aus dem Weg, und »Tristan« erstand. Am 11. Mai 1865 fand die Generalprobe statt, der Ludwig beiwohnte. Mit einem Erlaß des gleichen Tages befahl er seinem Justizminister eine Amnestie aller an der Revolution von 1849 beteiligten Nicht-Bayern. Dies war eine symbolische Aufmerksamkeit für den Flüchtling Wagner, der bei ihm Zuflucht gefunden hatte.

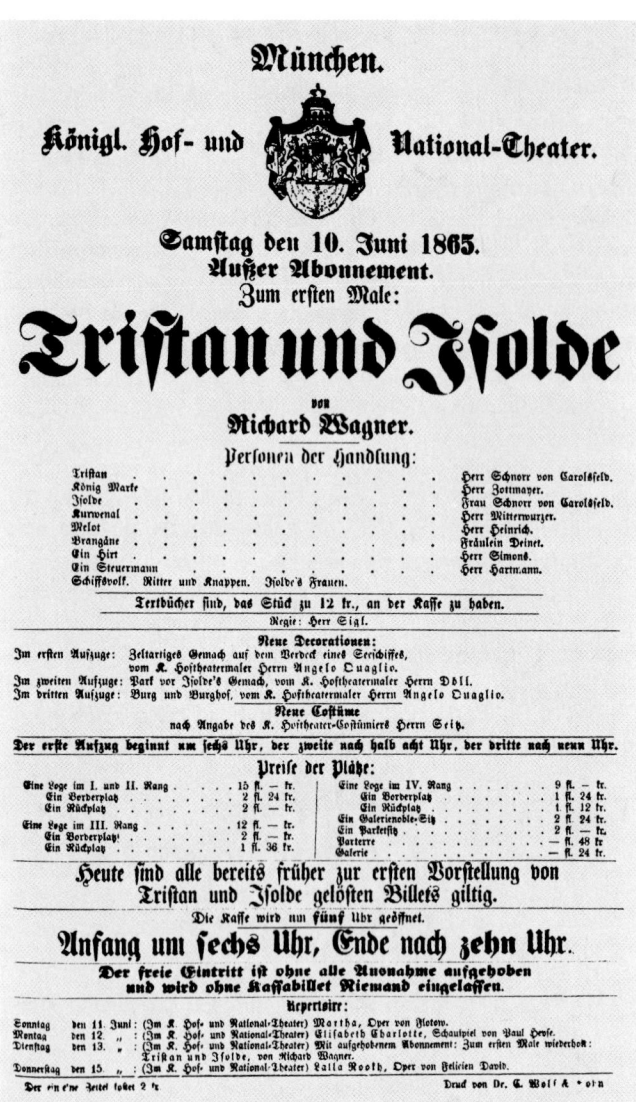

Triumph
des »hergelaufenen Musikanten«

Der denkwürdige Theaterzettel des großen Ereignisses,
das viele Fremde anzog.

Rechte Seite:
Tristan und Isolde, verkörpert von Lud-
wig und Malvine Schnorr von Carolsfeld.
Wagner war bereits während der Proben
völlig außer sich vor Begeisterung, um-
armte das Paar und stand vor Freude auf
einem Bühnensofa kopf.

Bülow am Pult, eine Karikatur auf ihn und
Wagners Musik aus jenen Tagen.

Noch einmal kommt eine harte Nervenprobe: Frau Schnorr von Carolsfeld, die Trägerin der Isoldenrolle, erkrankt, und die erste Aufführung muß verschoben werden. Die tollsten Gerüchte kursieren, unter anderem wird behauptet, Wagner sei wegen Wechselschulden verhaftet worden. Und wirklich wollten ihn Rachsüchtige auf diese Weise zur Strecke bringen, doch ohne Zögern springt Ludwig für ihn ein, beschwichtigt ihn mit einem herzlichen Brief – und endlich hebt sich am 10. Juni im Hoftheater der Vorhang zu »Tristan und Isolde«. Der König wird mit Fanfaren und Hochrufen begrüßt. Der gesamte Hof ist da, erst während des Vorspiels aber füllen sich Parterre und Galerie, und dahinter steckt eine Vorsichtsmaßregel, um Demonstrationen gegen Bülow zu verhindern. Der Beifall kommt zögernd. Die Wagnerianer klatschen natürlich schon nach dem ersten Akt, andere zischen. Erst am Schluß werden die Gegner von einem Beifallssturm übertönt. Ein Höhepunkt für Wagner, aber auch für Ludwig.

Zauber der Entrückung

Der romantische »Tristan«, von dem Wagner selber sagte, daß es ihm ein Wunder bleibe und offen eingestand: »Wie ich so etwas habe machen können, wird mir immer unbegreiflicher« – dieser Tristan wurde nur viermal aufgeführt. Nach der letzten Vorstellung zog Ludwig auf der Heimfahrt nach Berg die Notbremse seines Extrazuges, und nachdem er die nächtliche Waldluft eingesogen hatte, stieg er zur Weiterfahrt auf die Lokomotive. Wie ein König aus dem Bilderbuch. Und kein Monarch außer ihm hätte einen handgeschriebenen Brief an einen Künstler mit den Worten begonnen: »Mein Einziger! Mein göttlicher Freund!« Aber die Briefe Ludwigs an Wagner sind auch Zeugnisse eines Überschwanges, von dem nur die Seele eines innerlich Einsamen durchschauert werden kann. Wagner las aus allen Zeilen lediglich rückhaltlose Bewunderung wie auch Opferwillen für die Förderung seines Werkes heraus.

Oben: Noch ist Ludwigs Blick ungetrübt, wenn seine Gedanken bei Richard Wagner weilen. Und noch greift er zur Feder, um überströmend an ihn zu schreiben, wenn er unstillbares Sehnen nach seiner eigenen Traumwelt verspürt.

Rechts: Ein glühender Brief des Königs an Wagner.

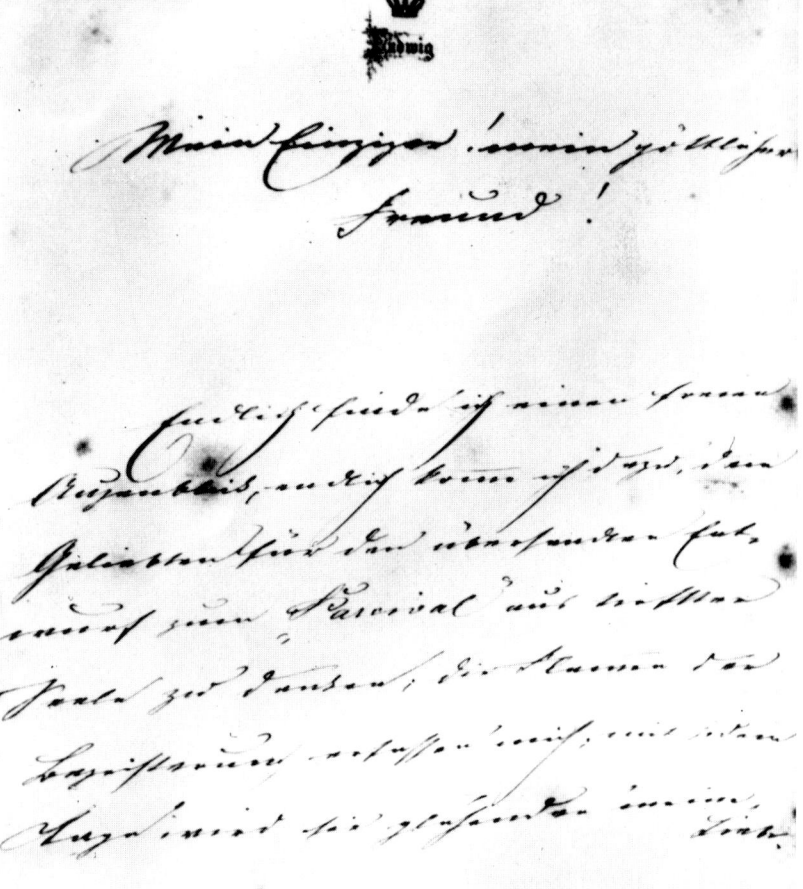

Links: Dieses Photo überreichte Wagner seinem hochherzigen Mäzen und schrieb dazu die Widmung: »So giebst nur Du die Kraft mir, Dir zu danken, durch königlichen Glauben ohne Wanken!«

Der Schwanenritter vom Alpsee

Ende 1865 muß der König, aufgrund seines Regierungsamtes, sein Verhältnis zu Wagner dämpfen. Kurz zuvor aber findet die Freundschaft einen Höhepunkt. Anfang November kommt Wagner auf Einladung Ludwigs nach Hohenschwangau und zaubert seinem König die herrlichsten Dinge vor. Vormittags erschallen Wagnersche Motive von den Türmen des Schloßes, der »Königsgruß« und der »Gralsgruß« wird von Oboisten des ersten Infanterieregiments geblasen. Sie sind auf Wagners Veranlassung dafür abkommandiert, das kann er sich durchaus erlauben. Ludwig ist davon derart entzückt, daß gleich weitere zwanzig Musiker kommen müssen, und mit ihnen gibt ihm sein Gast abends Konzerte. Untertags fahren sie vierspännig aus, das Wetter ist ungewöhnlich sonnig und mild. Man schwelgt im Genuß der Landschaft und hochfliegender Gespräche, nach der Rückkehr lockt das Tafelklavier zu neuen Entrückungen. Für den Abschiedsabend hat Ludwig ein Feuerwerk angesetzt – Wagner hält seinerseits eine Überraschung für ihn bereit: »Lohengrins Ankunft«. Aus dem Nebel des Alpsees taucht eine schimmernde Gestalt auf. In einem Kahn – der von einem kleinen Nachen gezogen wird, über den eine hölzerne Schwanenattrappe gestülpt ist – steht der Flügeladjutant Fürst Paul von Thurn und Taxis, als Lohengrin kostümiert. Ludwig läßt sich das lebende Bild zwei Tage später noch einmal stellen. In der Erinnerung wurde er selber jedoch zu diesem Schwanenritter, und so hat auch Professor A. Gwala-Trill auf seinem Gemälde dem Ritter die Züge Ludwigs verliehen *(oben)*.

Rechts:
Der königliche Schwanenritter
in der blauen Grotte
von Schloß Linderhof.
Zeitgenössische Bildpostkarte.

KÖNIG LUDWIG II.

Das Tafelklavier, auf dem Richard Wagner bei seinem Besuch in Schloß Hohenschwangau spielte.

Szenenwechsel – der Günstling ist gestürzt

Noch bevor Wagner den König besuchte, hatte ihm Pfistermeister den offenen Kampf angesagt. Auf ausdrückliche Anweisung Ludwigs mußte er dem Günstling ein neues Darlehen von 40000 Gulden auszahlen. Hat man schon einen ähnlichen Zugereisten erlebt, der nichts als Schulden macht und sich keinen Luxus – auf Kosten der Kabinettskasse! – versagen kann? Mit dem Kassierer zusammen heckte Pfistermeister für dieses Mal einen etwas kindischen Streich aus: Als Cosima das Geld holen wollte, wartete die gesamte Summe in Säcken voll kleiner Münzen auf sie. Cosima, »die rothaarige Person«, zuckte nicht mit der Wimper, zitierte eine Droschke herbei, quittierte und fuhr zurück in die Briennerstraße. Die kühn geschwungene Nase hoch in der Luft und die vollen Säcke neben sich. Zwar hat Wagner in Hohenschwangau Ludwig zu bewegen versucht, Pfistermeister abzusetzen, und zwar wurde das Kabinett in einem Zeitungsartikel mit Informationen angegriffen, die von Wagner inspiriert waren – aber Pfistermeister schlug sofort zurück und ließ in einer Gegendarstellung einfließen, daß Wagner in knapp einem Jahr die Kasse 190000 Gulden gekostet habe. Als das geschah, war Wagner bereits wieder in München, und nun forderte er vom König Pfistermeisters Entlassung, aus »patriotischen Gründen«, wie er hinzufügte. Dieser Brief aber verletzte Ludwig, und bevor er noch nach München kam und von Ministern, dem Hof, Erzbischof von Scherr und der gesamten Opposition bestürmt wurde, Wagner fallen zu lassen, zog er selber die Konsequenz. Oberappellrat Lutz teilte dem Verhaßten mit, daß er auf Wunsch des Königs München zu verlassen habe. Wag-

Wagner im Schweizer Exil. Grau und verfallen denkt er an sein mit luxuriöser Pracht ausgestattetes Münchner Heim. Noch kann er den Sturz aus Himmelshöhen nicht fassen. In München aber triumphieren seine Gegner.

ner brach in wüste Anwürfe gegen Pfistermeister aus, aber Lutz fiel ihm schneidend ins Wort: »Mäßigen Sie sich, ich bin als Beamter hier!« Die Verbannung erschien Wagner so ungeheuerlich, daß es noch eines Briefes von Ludwig bedurfte, um seine Abreise herbeizuführen. Am 10. Dezember 1865 bestieg er samt seinem alten Hund und dem böhmischen Diener Franz einen Zug nach der Schweiz. Bleich und verworren. Cosima, die noch Frau von Bülow hieß, hatte ihn zum Bahnhof begleitet.

1866 –
der Bruderkrieg ist da

1866 bringt das Ende der Krinoline *(rechts)*, die seit 1854 die Frauenmode bestimmt. Endlos hat man über sie gelacht – und doch: Nun, da sie verschwindet, reden viele vom Ende der »guten, alten Zeit«. Und wie wir in der Folge sehen werden, haben sie so unrecht nicht. Bismarcks Ziel ist die Verdrängung Österreichs aus dem Deutschen Bund. Zwei Zonen, eine unter preußischer, die südliche unter bayerischer Hegemonie, stellt er lockend dem bayerischen Ministerpräsidenten von der Pfordten in Aussicht. Aber der konservative Politiker lehnt den Plan rundweg ab. Ludwig stimmt ihm bei. »Denn«, meint er überzeugt, »später würden die Preußen noch mehr verlangen.« Kurz zuvor, am 7. Mai, verübt der Demokrat Cohen-Blind Unter den Linden ein Attentat auf Bismarck *(unten)*, allerdings ohne besonderen Erfolg. Er wird dabei von seinem Opfer, dem »bestgehaßten Mann Preußens«, geistesgegenwärtig selber entwaffnet. Als wenn nichts geschehen wäre, geht Bismarck weiter ...

Auf geht's, gegen die Preußen! Auszug der Landwehr.

↑866

Die Niederlage

Ludwig, der den Krieg unbedingt vermeiden wollte, unterschreibt am 10. Mai den Mobilmachungsbefehl und trägt sich erstmals mit Abdankungsgedanken. Am 22. Mai, dem ·Geburtstag Wagners, soll er den Landtag eröffnen – und stürmt heimlich nach Triebschen in der Schweiz, zu Wagner. Der Abstecher wird bekannt und löst größte Verstimmung aus. Der König holt am 27. Mai im Landtag seine Thronrede nach und zieht sich dann, entgegen allen Erwartungen, nach Berg zurück – man hätte ihn jetzt lieber in der Stadt gesehen. Vor einer Fahrt nach der Roseninsel *(links)* meldet ihm schließlich Pfistermeister den Truppenausmarsch.

»Ach, wenn das die Preußen wüßten, daß sie morgen sterben müßten...« sangen die bayerischen Truppen, als sich ihnen ihr König in Franken zeigte. Seine Anwesenheit wirkte faszinierend. Ein hessischer Bataillonskommandeur berichtet: »...hereintrat, im blausilbernen Waffenrock mit umgehängtem, faltenreichen Reitermantel und mehr noch durch den Glanz seines wundervollen dunklen Auges wie ein Gralsritter wirkend, ein Jüngling, so schön, so überirdisch schön, daß mir geradezu der Herzschlag stockte. Ich fragte den bayerischen Kameraden, der mein Tischnachbar und, wie alle bayerischen Herren, beim Eintritt der herrlichen Gestalt aufgestanden war, flüsternd: Wer ist das? – Unser junger König! antwortete er.« Ludwig aber, der keine besondere militärische Vorbildung besaß, verzichtete darauf, den Oberbefehl zu übernehmen. Er kehrte zurück und brannte auf der Roseninsel im Starnberger See allnächtlich Feuerwerke ab... Erst am 3. Juli, als die Schlacht bei Königgrätz zur Katastrophe der österreichischen Armee wurde, stießen Süddeutsche mit Preußen zusammen. Nach wenigen Wochen war der Krieg verloren, obwohl die Bayern, wie der preußische General Manteuffel rühmte, »wie die Löwen« gekämpft hatten.

*Königinmutter Marie
besucht und pflegt
verwundete Krieger.*

*Württembergische Artillerie
im Gefecht bei
Tauberbischofsheim.*

Siegesjubel in Berlin

Dumpf empfindet man in Bayern mit dem Aufstieg der Großmacht Preußen die geschichtliche Wende. In Berlin aber begrüßen 55 Töchter der Stadt die siegreiche Armee mit ihrem König. Die Festjungfrauen tragen weiße Kleider und goldene Gürtel, grüne Kränze im Haar und schwarzweiße Schleifen um die linken Schultern. Die Schöne mit der Rolle in den Händen ist Henriette Gabler. Sie richtet Verse an den König, die mit den Zeilen enden: »Gott ging mit Dir und wird auch mit Dir gehen – bis über'm Lorbeerschatten Palmen wehen!« Was sich der Dichter Christian Friedrich Scherenberg dabei gedacht hatte, blieb sein Geheimnis. Anschließend überreichen die Jungfrauen Lorbeerkränze auf Kissen, und drei Tage und Nächte lang wird in Berlin gefeiert. Mit Paraden, Festreden, Festdiners und Hurrarufen.

Kabinettswechsel

Die bayerischen Heerführer, Prinz Karl von Bayern und Ludwig von der Tann, wurden vom Volk als »Verräter« bezeichnet. In Wahrheit hatte eine völlig unmilitärische Dynastie die Quittung erhalten, und »Sündenböcke« mußten dafür büßen. Zu ihnen gehörte auch Ministerpräsident von der Pfordten. Der überaus fähige Politiker war zwischen die Mühlsteine geraten, und zum Schluß mußte er auch noch Bismarcks Friedensbedingungen nach Hause bringen: Abtretung von zwei Bezirksämtern an Preußen, 30 Millionen Gulden Kriegsentschädigung und ein geheimes Schutz- und Trutzbündnis mit Preußen. So war Pfordten, der die bayerische Politik fast unbeschränkt beherrscht hatte, schon zu Lebzeiten ein toter Mann. Sein Nachfolger wurde Fürst Chlodwig zu Hohenlohe-Schillingsfürst. Auch Lutz mußte gehen, ebenso Pfistermeister, an dessen Stelle der noble Staatsrat von Neumayr kam.

Links: Der abgesetzte Ministerpräsident von der Pfordten.

Unten links:
Staatsrat von Neumayr, Nachfolger von Pfistermeister.

Unten: Chlodwig von Hohenlohe-Schillingsfürst,
den Bismarck später zum deutschen Botschafter in Paris ernennt.

Kaiserin Elisabeth von Österreich...　　　　　*...und ihre Schwester Sophie*

Eine triumphale Rundreise und eine unerwartete Verlobung

Ludwig ist nicht zu bewegen, das heimkehrende Heer zu begrüßen. Eine von den Ministern vorgeschlagene Reise durch sein Land lehnt er ebenso hartnäckig ab, und in der königlichen Familie wird ernsthaft die Frage eines Thronwechsels diskutiert. Er selber fühlt sich als »Schattenkönig« und erwägt aufs neue, abzudanken. Wagner, dem er sich mitteilt, zürnt Ludwig und droht mit völligem Bruch. Das rüttelt den König auf, und am 10. November 1866 reist er mit einem Gefolge von über hundert Mann in die vom Krieg heimgesuchten Provinzen. Die Fahrt wird zu einem Siegeszug. Bayreuth, Kissingen, Aschaffenburg, Würzburg jubeln ihm zu. Er besucht die Schlachtfelder und zerschossenen Dörfer, schmückt Soldatengräber, verleiht Feldzugsabzeichen und ist königlich freigebig, wo es zu helfen gilt. Zuletzt

zieht er in Nürnberg ein, gibt Empfänge, besucht die Fürther Arbeitermassen, tanzt mit erglühenden Bürgertöchtern und wird vergöttert... Und dann, Anfang 1867, kommt in München ein Hofball, auf dem er seiner Cousine Sophie in auffallendster Weise huldigt. Am nächsten Tag, dem 22. Januar, wird seine Verlobung mit ihr bekanntgegeben. Das hatte niemand erwartet... auch nicht Herzog Max, der Vater der Erwählten. Acht Tage darauf meinte Ludwig nach einem Offiziersball, daß sehr schöne Damen dagewesen wären, doch die Schönste wäre seine Kusine Sophie gewesen. In Hofkreisen wurde sehr bald über die Verlobung offen gesagt, daß der König buchstäblich in sie »hineingestolpert« sei. Dem königlichen Bräutigam selbst sollte es von Tag zu Tag schwerer fallen, an seine Rolle als Ehegatten zu denken.

In Paris

Ludwigs Abdankungspläne erklären sich aus seinem mimosenhaften Ehrgefühl. Sein Land ist besiegt, er fühlt sich nur mehr als »Schattenkönig«. Vor Augen steht ihm das Beispiel seines Großvaters Ludwig I., der so gut wie kampflos das Feld geräumt hatte. Nur Richard Wagner, der die Vorzüge zu schätzen wußte, die er einem regierenden Mäzen zu verdanken hatte, konnte ihn davon abbringen. Was nun die Verlobung betrifft, so ist niemand mehr darüber erstaunt, als der königliche Bräutigam selber, und fluchtartig fährt er zur Weltausstellung nach Paris. Obwohl die Stadt von regierenden Häuptern wimmelt, hat Napoleon III. für Ludwig, der sehr gut Französisch spricht, viel Zeit. Er zeigt ihm romantische alte Schlösser, veranstaltet Diners – und warnt Bayerns König vor den Preußen. Ludwig ist fast allabendlich im Theater, bewundert im Bois de Boulogne sachkundig edle Pferde *(unten)* und widmet sich den Kunstschätzen der Weltausstellung. Deren Clou aber ist eine »Menschenhebemaschine«, wie der umständliche Ausdruck für den ersten Aufzug lautet *(rechts)*. Die Konstruktion ist gleichsam ein Paukenschlag, der das industrielle Zeitalter eröffnet – neben dem Ludwig II. in den Idealen einer unwirklichen, mittelalterlichen Traumwelt lebt.

Der erste Aufzug auf der Weltausstellung in Paris 1867.

Feine Gesellschaft bei der Ausfahrt im Bois de Boulogne.

Zur Vermählung Jhrer Majestäten

KÖNIGS LUDWIG II. UND KÖNIGIN SOPHIE VON BAYERN.

Dem bayerischen Volke gewidmet

Wann ist Hochzeit?

Zuerst war sie für den 25. August festgesetzt, den Ludwigs-
tag, dann auf den 12. Oktober, an dem Ludwig I. und Maximilian II. geheiratet hatten. Inzwischen erschien Kaiser Napoleon mit Kaiserin Eugénie auf der Durchreise, und Ludwig präsentierte ihnen seine Braut. Eugénie, deren Eleganz
in Europa tonangebend war, sah überrascht auf die schöne
Sophie – und umarmte sie plötzlich mit einer eigentümlich
aufwallenden, fast mütterlichen Regung. An diese Geste
sollte Sophie noch oft zurückdenken müssen, denn Ludwigs Benehmen wurde immer sonderbarer. Er hatte ihr
kostbare Geschenke gemacht, aber dann war er verschwunden, um den Sängersaal auf der Wartburg zu studieren, hernach kam die Reise nach Paris, und nun wurde der Hoch-
zeitstag noch einmal, auf den 12. November verschoben.
Zwischen verworrenen Briefen erhielt die Braut Blumen, oft
mitten in der Nacht – und unvermittelt erschien er mit der
Königskrone, die Sophie »probeweise« aufsetzen mußte.
Diese Szene ließ sie unter Tränen sagen: »Er liebt mich nicht,
er spielt nur mit mir!« Aber in der Residenz wurden Zimmer
für sie eingerichtet, ein Hochzeitswagen stand bereit...
Überall sieht man Bilder des Brautpaares. Ein Gedenkblatt
zur bevorstehenden Vermählung ist erschienen *(linke Seite)*,
eine Münze *(unten)* wurde geprägt, in jedes Album wander-
te ein Konterfei, das Hofphotograph Albert aufgenommen
hat. Aber gerade dieses Photo *(rechts)* gibt immer mehr zu
denken: fürs Leben miteinander verbunden sieht das Paar
wirklich nicht aus. Als der König gar auf einem Ball, den
Fürst Hohenlohe zu Ehren des Paares gibt, um zehn Uhr
wegläuft, um noch den Schlußakt eines Theaterstückes zu
sehen, gibt man den Skeptikern recht, die schon lange tu-
scheln: »Es wird nichts aus der Heirat!«

Ein offenes Wort

Herzog Max gehörte zu den volkstümlichsten Männern Münchens. Sein Palais an der Ludwigstraße wie sein Landsitz in Possenhofen erfüllte geselliges Leben, aber seine Popularität verdankte er vor allem der Liebe zur Zither, die er meisterhaft spielte *(links)*. Vier seiner Töchter hatten glänzende Partien gemacht. Elisabeth, die zweite und schönste, war sogar Kaiserin von Österreich geworden, und nun passierte mit der jüngsten so ein Malheur. Was Ludwig mit ihr trieb, war ja das reinste Kasperlspiel geworden – hatte man das nötig? Fuchsteufelswild setzte sich der Herzog eines Tages hin und schrieb dem merkwürdigen Freier, daß man ihm Sophie beileibe nicht aufdrängen wolle, aber er müsse ihn untertänigst bitten, entweder »Ja« zu sagen, oder eindeutig zurückzutreten. Ohnehin würde er seine Sophie nur alle vierzehn Tage besuchen, obwohl es von Schloß Berg zum gegenüberliegenden Possenhofen nur ein Katzensprung wäre, und das ständige Hinausschieben der Hochzeit sich nicht mit Sophies Ehre vertrüge.

Krach in der Residenz

Ludwig raste, als Brautvater Max endgültige Entscheidung von ihm forderte. Eine Büste Sophies, die auf seinem Schreibtisch gestanden hatte, flog auf das Pflaster eines Innenhofes, wo sie zerschmettert liegenblieb – und damit war die ganze Hofhaltung eindeutig von dem Bruch unterrichtet. Die Hochzeitskutsche *(rechts)*, die über eine Million Gulden gekostet hatte und die bereits »zur Probe« durch die Stadt gefahren war, landete in einer Remise, und der armen Sophie schrieb Ludwig als Abschiedswort: »Dein grausamer Vater reißt uns auseinander!« Monatelang wurde im Hause des Herzogs der Name des Souveräns nicht mehr genannt. Für eine Weile zürnte auch die »Taube« Elisabeth ihrem wankelmütigen und unberechenbaren »Adler«.

Das Schicksal
der verschmähten Braut

Ohne Zögern, ohne höfliche Bedenkzeit, hat Ludwig sein Jawort zurückgegeben. Der Bruch wurde ziemlich gleichmütig aufgenommen. Man war darauf vorbereitet, zudem war die nahe Blutsverwandtschaft ohnehin vielen unbehaglich gewesen. Richtig enttäuscht war nur die Landbevölkerung. Ihr gesunder Sinn sah einen »einschichtigen« König gar nicht gern, und wenn Bauern in die Stadt kamen, gab es im »Augustinerbräu« *(oben),* wie in allen Wirtschaften wo sie einkehrten, heftige Dispute. Viel übler jedoch war, daß über Sophie dummer Klatsch hereinbrach. Man behauptete, daß der König sie überrascht hätte, als sie wie eine Furie ihre Kammerzofe ohrfeigte, dann wieder war sie von ihm bei einem Stelldichein mit dem Hofphotographen gesehen wor-

den – kurzum, an ihr blieb alle Schuld hängen. Sie stand es durch und heiratete ein knappes Jahr später den Herzog von Alençon. Augenzeugen sagten, daß ihr »Ja« vor dem Altar geklungen habe, als wollte sie sagen: »Von mir aus«, oder: »Meinetwegen«. Beim Hochzeitsdiner wurde ausgerechnet der »Brautchor« aus Lohengrin gespielt, und dabei wird ihr sonderbar zumute gewesen sein... Seinerzeit hatte sie ja mit großer Diplomatie Freundschaft mit Wagner gesucht, um sich das Wohlwollen ihres übermächtigen Rivalen zu erringen. Ludwig tat alles, um die Zeugnisse seiner geplanten Heirat zu vernichten. Die Münzen wurden eingezogen, bestehende Kunstblätter aufgekauft, außerdem ließ er die betreffenden Kupferplatten und Lithosteine mit ätzenden Säuren übergießen. Alle Abzüge eines Porträts, das Sophie bereits als »Königin von Bayern« bezeichnete, wurden in seinem Beisein verbrannt. Aber eines der Blätter entging dieser Aktion. Es ist auf Seite 51 abgebildet.

Nie ist Sophie »Königin von Bayern« geworden..., und ob sie mit dem Herzog von Alençon glücklich war, steht dahin. Im Mai 1897 fand sie bei dem Brand eines Wohltätigkeitsbazars in Paris *(unten)* einen schrecklichen Tod. »Heroisch verlangte sie, daß zuerst die jungen Mädchen gerettet wurden«, berichtet ein Augenzeuge.

SOPHIE
KOENIGIN VON BAYERN.

Die Frauen und der König...

»Unser Kini hat so ein schön's G'schau!«

(Urteil eines alten Beerenweibleins aus Starnberg, das Ludwig einmal vorbeireiten sah.)

Der wunderschöne und so rätselvolle junge König beschäftigte die Phantasie der Frauen auf das lebhafteste. Sie waren rein versessen darauf, ihn einmal wenigstens zu sehen oder zumindest in den Besitz eines Bildes zu kommen, das ihn im Krönungsornat zeigte oder als Großmeister der Georgiritter. Doch gab es auch Mütter aus guten Familien, die mit ihren Töchtern in den Gängen der Residenz herumpirschten, in der Hoffnung, aus der nächsten Türe oder um eine Ecke würde ihnen der König nicht nur entgegenkommen, sondern restlos betört auch das hübsche Töchterlein in seine Arme schließen. Die Hartschiere, denen als Leibgarde der Wachdienst oblag, fluchten ungeheuerlich über die Dummheit und Dreistigkeit der Weiber, denn oft kamen sie, kaum hinausgewiesen, beim nächsten Tor wieder herein. Einzigen Zutritt hatten Sängerinnen des Hoftheaters, die zu Privatvorträgen huldvollst geladen waren. So manche mochte sich völlig übertriebene Hoffnungen machen, wurde womöglich zudringlich und ward deshalb einmal und nicht wieder gesehen. Drei Favoritinnen aber konnten sich lange halten. Sehr nahen Kontakt zu Ludwig hatte Marie Dahn-Hausmann *(links)*, die ihm schon während seiner Kronprinzenzeit als »Thekla« (Wallenstein) sehr gefallen hatte und die er seitdem mit Gunstbeweisen bedachte. Doch bestand ein fast familiäres Verhältnis, sie war glücklich verheiratet und hätte ohnehin gut seine Mutter sein können. Trotzdem betete sie ihn an und war unendlich glücklich darüber, daß Ludwig immer die »Seelenverwandtschaft« mit ihr betonte.

*»Nur in Deine leuchtenden Augen laß mich sehen
und dann vergehen, sterben ...«*

(Aus dem Brief einer hochgestellten Bewunderin.)

Das Porträt der Sängerin Josefine Scheffsky *(oben)* ist sehr geschmeichelt, hatte sie doch neben üppigen Brunhilden-Formen auch noch ein reichlich vulgäres Gesicht – und deshalb ließ sie Ludwig in seinem Wintergarten nur hinter dichtem Gebüsch verborgen singen. Aber er hörte auch gerne etwas Klatsch, und damit konnte ihm Josefine bestens dienen. Dazu durfte sie sogar ihm gegenübersitzen. Nur hätte sie bei einer solchen Gelegenheit den Hofrat Bürkel nicht anschwärzen sollen, denn das wurde ihr zum Verhängnis. Bürkel wußte, daß sie Ludwig einen Teppich »geschenkt« und von der Kabinettskasse dafür 1500 Mark gefordert hatte. Eine Rückerstattung war in solchen Fällen üblich, doch hatte sie für den Teppich nur 300 Mark bezahlt, Ludwig aber vorgeschwindelt, daß er von einem indischen Fürsten stamme. Der Hofrat, dem diese Geschichte schon immer merkwürdig vorgekommen war, ging ihr nun nach, und weil die Scheffsky den Teppich bei seinem Schwager Rosipal gekauft hatte, war sie schnell entlarvt. Nichts konnte Ludwig mehr in Zorn bringen als Eigennutz, deshalb wurde sie auf der Stelle entlassen und mußte sogar auf den Titel »Kammersängerin« verzichten. Die Strafe war hart. Nicht genug, die Zeitungen brachten auch noch höhnische Kommentare zu dem Teppichgeschenk, und München hatte einen heiter-pikanten Gesprächsstoff. Das kam in Verbindung mit dem König selten vor, denn zumeist umwölkte »der Fall Wagner« die Gemüter. Und mit diesem Fall hatte auch Bürkel *(rechts)* erheblich größere Sorgen.

nicht schlafen könne, sein Kopf lag plötzlich auf ihren entblößten Schultern – und sie schob ihn stumm zur Seite. Später hat sie oft davon erzählt, und das aufrichtige Bedauern, das dabei mitklang, spricht dafür, daß diese Szene von ihr nicht erfunden war. Fest steht, daß die gute Lila für eine Ungarin herzlich wenig Temperament besaß und besorgt war, ihr neues Kleid zu zerknittern. Ein andermal fürchtete sie im regenfeuchten Garten um ihre teuren Schuhe, und als Ludwig ihr frischgepflückte Blumen überreichen wollte, taten ihr wieder die Handschuhe leid. »Sie werden sie in anderer Form bekommen«, lächelte er und schickte sie ihr unter einem Samtrahmen gepreßt. »So ein Dreckzeug!« waren ihre authentischen Worte, hatte sie doch eine Diamantengarbe erwartet. Mit einem Mal war es dann aus, war sie für Ludwig das »Bulyowsky-Luder« geworden, weil er dahinter kam, daß sie im Theater seinen Namen mißbrauchte, um die besten Rollen zu bekommen. Turmhoch über allen Begegnungen aber stand seine Verehrung für Elisabeth *(unten)*. Sie war ihm, dem weichen Träumer, überlegen. In ihr war Kühnheit und Energie, und während er ständig in sein Majestätsgefühl flüchtete, war sie über das Höfische hinausgewachsen und weit vor ihrer Zeit eine »emanzipierte Frau«.

Lila von Bulyowsky

Sie hätte die »Bayerische Pompadour« werden können. Die hübsche Ungarin war eine begabte Schauspielerin und hatte mit ihrer Glanzrolle als »Maria Stuart« *(linke Seite)* den König einmal so ergriffen, daß nach der Vorstellung die Allerheiligenhofkirche aufgeschlossen werden mußte, weil er dort für die unglückliche hingerichtete Königin beten wollte. Hofmaler Heigl mußte für ihn die Bulyowsky gleich als »Maria Stuart« malen, und als er sie nach Hohenschwangau einlud, ist es dort zu Szenen gekommen, bei denen sie alles hätte gewinnen können. Ludwig gestand ihr jedenfalls einmal, daß ihm noch nie eine Frau gehört habe. Sie saßen nebeneinander auf seinem Bett und hatten eben »Egmont« rezitiert. (Der König besaß ein fabelhaftes Gedächtnis und kannte von seinen Lieblingsstücken sämtliche Rollen so gut auswendig, daß er wiederholt Schauspieler auf der Bühne korrigierte.) Es war eine Situation, nach der sich Hunderte von Frauen sehnten – die Bulyowsky aber gab sich spröde. Er sagte ihr sogar noch, daß er nachts vor Sehnsucht nach ihr

Neues Verhältnis zu Wagner

Der 21. Juni 1868 bringt einen Triumph Richard Wagners. Er war inzwischen wiederholt in München gewesen, hatte sich aber gehütet, Aufsehen zu erregen. Zur Uraufführung der »Meistersinger« will er ungesehen im Theater sein, Ludwig aber nimmt ihn an seine Seite in die Königsloge. Zu dieser nie dagewesenen Gunstbezeugung kommt ein Riesenerfolg seines Werkes. »Wagner, Wagner!« wird demonstrativ gerufen, und auf Ludwigs Geheiß verbeugt er sich an der Logenbrüstung, nur mühsam die Fassung bewahrend. Um diese Zeit brachten es Intrigen fertig, daß Semper, der das Festspielhaus bauen sollte, bei dem König in tiefste Ungnade fiel, und damit war das Projekt endgültig begraben. Ludwig aber hatte den begabtesten Baumeister seiner Zeit verloren.

Oben links: Richard Wagner, nach einem Porträt von Lenbach.

Oben rechts: Der unglückliche, jahrelang genarrte Architekt Gottfried Semper.

Links: Der König, seine Mutter und Prinz Otto im Landhaus Elbigenalp.

Ludwig führt seit seiner Entlobung ein zurückgezogenes Junggesellenleben auf Schloß Berg. Die Räume sind schlecht eingerichtet, überall herrscht Schlamperei, es stört ihn nicht. Bergeweise kommen Bücher aus der Staatsbibliothek, und er liest nächtelang, wenn er nicht im Mondschein endlose Ritte unternimmt – oder ein Wagner-Sänger bestellt ist. Bei offiziellen Anlässen überwindet er sich, geht sogar auf die Bälle des Kaufmannskasinos und fehlt auch nicht bei dem rustikalen Schauspiel des Metzgersprungs *(unten)*. Nur dem neugegründeten Münchner Turnverein von 1860 bringt er ein unüberwindliches Mißtrauen entgegen, obwohl er selber ein hervorragender Schwimmer ist und längst außer Zweifel steht, daß die Turner keine staatsgefährlichen Anarchisten sind. Die Politik dieser Epoche: Hohenlohe festigt das Bündnis mit Preußen – und widerwillig läßt ihn Ludwig gewähren. Noch demütigender als die verlorene Selbständigkeit Bayerns erscheint ihm aber Wagners Vertrauensbruch. Kurz nach den »Meistersingern« erhält er unwiderlegbare Beweise für Wagners Verbindung mit Cosima. Eine Korrespondenz ergibt sich zwar wieder, doch für lange Jahre will und wird er Wagner nicht mehr sehen.

Flucht aus der Wirklichkeit

Der August 1868 bringt eine neue Begegnung mit dem russischen Kaiserpaar in Bad Kissingen, und als Maria Alexandrowna von Rußland *(links außen)* auch München besucht, nimmt sie eine Einladung Ludwigs nach Schloß Berg an. Mit seinem Schiff »Tristan« *(links)* entführt er sie und ihr Gefolge auf die Roseninsel und gibt ihr dort ein prunkvolles Fest mit einem Feuerwerk *(links unten)* von poetischer Farbenpracht. Die aufgebotene Üppigkeit der Tafel und alle Kurzweil läßt an den Glanz der legendären Feste am Hof des Sonnenkönigs Ludwig XIV. denken. Noch in demselben Jahr beginnt Ludwigs Bewunderung des absoluten Königtums dieses Herrschers auch mit dem Bau des Schlosses Linderhof sichtbare Gestalt anzunehmen. Zuvor hatte er mehrmals auf der Landshuter Burg Trausnitz *(rechts)* geweilt und sich dort einige Räume einrichten lassen. Eine hohle Dekoration entstand, im Stil einer neudeutschen Renaissance. Im übrigen ist das Ganze beileibe keine Generalprobe für eine jäh einsetzende Baulust, die ohne jede Rücksicht auf Kosten und Schulden zu seinem Lebensinhalt wird. Im stillen Graswangtal wächst ein Bauwerk hoch, das mitten in die rauhe Bergwelt ein Prunkschloß nach französischem Vorbild stellt. Und nicht schnell genug kann es dem königlichen Bauherrn gehen, in einer Zeit, in der die Eisenbahn in Weilheim endigt und das Pferdefuhrwerk das einzige Transportmittel für die Herbeischaffung der Baumaterialien ist.

Unten: Der Bauplatz von Schloß Linderhof. Das Werk, dessen Grundstein am 5. September 1869 gelegt wurde, ist nach sechsjähriger Arbeit vollendet.

Treibhaus-Träume

Der Wintergarten in der Münchner Residenz gewann 1874 seine eigentliche exotische Pracht. Ludwig brachte ganze Nächte in ihm zu, und viele seiner Pläne sind in diesem Treibhaus reif geworden. So entschloß er sich plötzlich, Versailles zu besuchen – eine Idee, die auch Bismarck »höchst bedauerlich« fand, und doch ebnete er ihm die Wege dazu. Als »Graf von Berg« reiste Ludwig am 20. August 1874 mit Holnstein und vier Dienern ab, und am 25. August, seinem Geburts- und Namensfest, ließ die französische Regierung für ihn die »Großen Wasser« von Versailles springen – was der Staatskasse immerhin 50 000 Franken kostete. Das erboste die Presse, aber der »Figaro« schrieb beschwichtigend: »Er ist kein böser König... er hat seine Soldaten nie anders als auf dem Klavier begleitet!« Das Schloß Versailles kannte Ludwig zur Überraschung seiner Führer besser als sie selber, keine Demonstration störte seinen Aufenthalt. Nur ein paar Gassenjungen mußten verscheucht werden, die hinter

dem König dessen eigentümlich stelzenden Gang nachahmten. 1875 folgte noch eine kurze Reise nach Reims.
Sagenhafte Dinge erzählte man sich über das Tuskulum, das sich der König im Dachgeschoß der Residenz geschaffen hatte. Kaum jemand hatte Zutritt, und es gab hohe Würdenträger, die sich als Gärtnerhilfen oder Elektriker verkleideten, um ihre Neugier zu befriedigen. Palmen, Lorbeer und Zypressen wuchsen in dumpfer Treibhausluft, zwischen ihnen flogen Kolibris, schaukelten Papageien, die übrigens oft das Personal erschreckten – wußten sie doch das

Rechts: Sehr beliebt waren Postkarten,
auf denen der König träumend
in seinem Zaubergarten Kahn fuhr.

König Ludwig II. im Wintergarten der Residenz in München.

laute Lachen des Königs täuschend nachzuahmen. Wir dürfen uns Ludwig nicht als ewig ernst oder schwärmerischseufzend vorstellen. Er hatte die Gabe des Lachens, das freilich jäh in grausiges Gelächter umschlagen konnte. Ein Königszelt leuchtete am Ufer eines kleinen Sees, in dem ein Nachen wartete und den Schwäne zogen. Eine Lichtanlage ermöglichte in allen Farben prächtige Effekte, vom gewölbten Glasdach glänzte ein künstlicher Mond, und eine kühne Pappszenerie ließ den Himalaja aufsteigen. Was sich in dieser schwülen Kulissenwelt einmal zutrug, beschreibt ein »Des Königs Privatleben« betiteltes Zehnpfennigheft folgendermaßen: »Die Ideale der Sängerinnen sahen anders aus als die des Königs. Eine suchte ständig eine Annäherung, jedoch vergebens. Einmal, es war in des Königs Wintergarten, als sie sich mit dem König allein glaubte, plumpste sie wie zufällig in den dortigen See, schrie um Hilfe und rechnete auf des Königs Galanterie, daß er ihr heraushelfen werde. Es war aber nichts, der König, kühl bis ans Herz hinan, läutete einfach einem Diener und ließ von diesem die Dame herausziehen.« Auf einer Zeichnung *(unten rechts)* ist der denkwürdige Augenblick festgehalten. Berichte und »Enthüllungen« solcher Art fanden begeisterte Leser. Vieles ist dabei zusammenphantasiert worden, doch alles wurde geglaubt. Der Nachen steht heute im König-Ludwig-Museum auf Schloß Herrenchiemsee *(unten links)*, das letzte authentische Zeugnis von dem gigantischen Treibhaus, das die alten Residenzmauern baulich auf das äußerste belastete. Als sie während des Krieges in Trümmer sanken, konnte man in dem jammervollen Schutthaufen die schweren Bleiplatten sehen, die einmal den Boden des künstlichen Teiches abgedichtet hatten, um ein Durchsickern in darunterliegende Räume zu verhindern.

Ludwigs »Wintergarten« beschäftigte die Phantasie der Münchner derart lebhaft und unablässig, daß häufig die tollsten Geschichten darüber kursierten und geglaubt wurden.

Scene aus dem kgl. Wintergarten.

Elisabeth Ney

Das einzige Standbild des Königs *(rechts)*, das nach dem Leben geformt wurde, stammt von Elisabeth Ney *(links, Gemälde von Friedrich Kaulbach)*. Sie war eine der merkwürdigsten
Frauengestalten ihrer Zeit. Da sie später nach Amerika ging
und es in Austin, Texas, ein Ney-Museum gibt, wird sie immer für eine Amerikanerin gehalten – aber sie ist 1833 in
Münster als Tochter eines Bildhauers geboren und eine
Großnichte des Marschalls Ney. Sie war bildschön, kalt und
exzentrisch und verschwieg ihr Leben lang, daß sie mit dem
schottischen Arzt Montgomery verheiratet war. Das Paar erregte deshalb viel Anstoß, aber das war ihr gleichgültig,
doch ist immerhin die Lammsgeduld ihres Mannes mehr zu
bewundern. Gottfried Keller, der wie viele andere hoff-
nungslos für sie schwärmte, hat ihr im vierten Band seines

Werkes »Der Grüne Heinrich« in Gestalt der »Grafentoch-
ter« ein Denkmal gesetzt, Schopenhauer würdigte sie seiner
Freundschaft, und Ludwig II. baute ihr 1867 in München ein
Haus. 1868 durfte sie ihn porträtieren. Über ihre Freiheit,
sein Haupt mit Zollstock und Zirkel zu messen, äußerte er
allerdings Dritten gegenüber »sein höchstes Befremden«.
Während der Sitzungen mußte sein Kabinettschef Lipowsky
dauernd aus »Iphigenie« vorlesen, und als Ludwig ihr Juwe-
len schenken wollte, lehnte sie brüsk ab – Blumen wären ihr
lieber. Die bekam sie dann auch. 1870 ging sie mit ihrem
Mann nach Texas, wo sie eine »Musterkolonie« gründen
wollten. Der hochfliegende Versuch scheiterte und sie ver-
paßte darüber den sonst sicheren Weltruhm. 1907 starb sie,
hochverehrt, innerlich einsam und unglücklich, in Austin.

Heimgang König Ludwigs I.

Im Vollbesitz seiner geistigen Kräfte stirbt der Monarch am 29. Februar 1868 in seinem 82. Lebensjahr in Nizza. Mit ihm geht der charmanteste Kavalier des damaligen Europa dahin, ein sprühender Geist, der das Leben liebte und schönen Frauen unablässig ergeben war. Doch wenn er auch seinerseits abgedankt hatte, so suchte er doch ständig die Rechte Bayerns zu wahren – und dabei lag ihm die Königswürde des Enkels besonders am Herzen. Mehr als einmal konnte er ihm goldene Ratschläge geben. Ludwig II. vergalt ihm dies mit einer rührenden Zuneigung und mit einem scheuen Respekt vor dem lebenserfahrenen, in künstlerischen Neigungen ihm vielfach gleichgesinnten Greis. Und doch hatte auch der Verstorbene sich mit unabänderlichen Tatsachen abfinden müssen, war es ihm doch immer seltener gelungen, die Mauer aus Scheu und Mißtrauen, die sein Enkel um sich aufgerichtet hatte, zu durchbrechen.

Rechts: Königinmutter Marie. Photo um 1868.

Unten: König Ludwig I. von Bayern im Alter, Gemälde von Franz von Lenbach. Seine Erscheinung war den Münchnern vertraut, die Lola war ihm längst verziehen.

Die Königinmutter

Sie hat schon lange jeden Einfluß und fast jeden Kontakt mit dem Sohn verloren. Ihre anspruchslose Natur, ihr simpler Geist, der überhaupt keine musischen Interessen kannte, ließ sie keine Brücke zu ihm finden, und Ludwig seinerseits, der sie als Kind sehr geliebt hatte, entfernte sich im Laufe der Zeit immer mehr von ihr. Tiefer Blickende sahen in ihrem unbedeutenden und naiven Wesen unverkennbare Zeichen eines gefährlichen Erbes starker Inzucht. Unter ihren unmittelbaren Vorfahren finden sich ausgesprochene Pathologen, und wenn sie auch selber gesund war, so müssen doch von ihrer Seite her in das Blut der Wittelsbacherprinzen schwere Belastungen gekommen sein. Ihr Leben lang hat sie Ludwig in Schutz genommen und als größte Entschuldigung für ihn angeführt, daß ihm der Vater allzu früh verstarb. Am wohlsten fühlte sie sich überall dort, wo es recht ungezwungen zuging. Mit derselben Freude, mit der sie früher bei Ausflügen für die ganze Hofgesellschaft Butterbrote gestrichen hatte, saß sie in ihren alten Jahren im Münchner Hofbräuhaus, von den Stammgästen als »die Maari« hochverehrt. Sie hatte immer Bierzeichen, für die man eine Maß bekam, und die sie freigiebig verteilte. Ihr Tod am 17. Mai 1889 war von einer »verklärten Sterbefreudigkeit«. Zweimal sagte sie laut: »Ich bitte alle um Vergebung, denen ich weh tat« und fügte mit großer Innigkeit hinzu: »Ich danke allen, die mir Liebes erwiesen haben.«

Kreuzigungsgruppe in Ober-
ammergau. König Ludwig II.
hat sie nach einem Besuch
der Passionsspiele von dem
Bildhauer Halbig aus Stein
hauen lassen und dem Ort
geschenkt. Die zwölf Meter
hohe Gruppe wurde auf dem
Friedenshügel aufgestellt,
den er dafür bestimmt hatte.

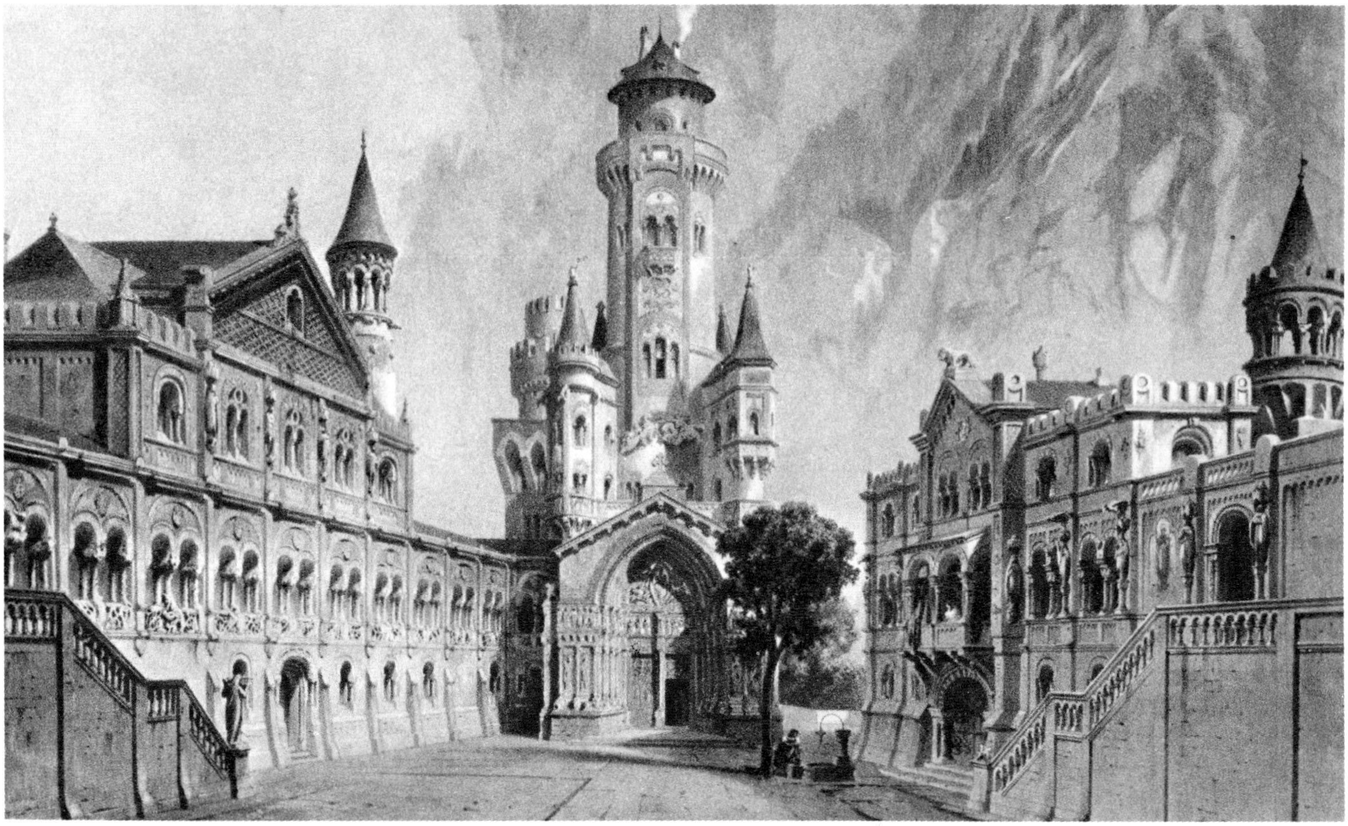

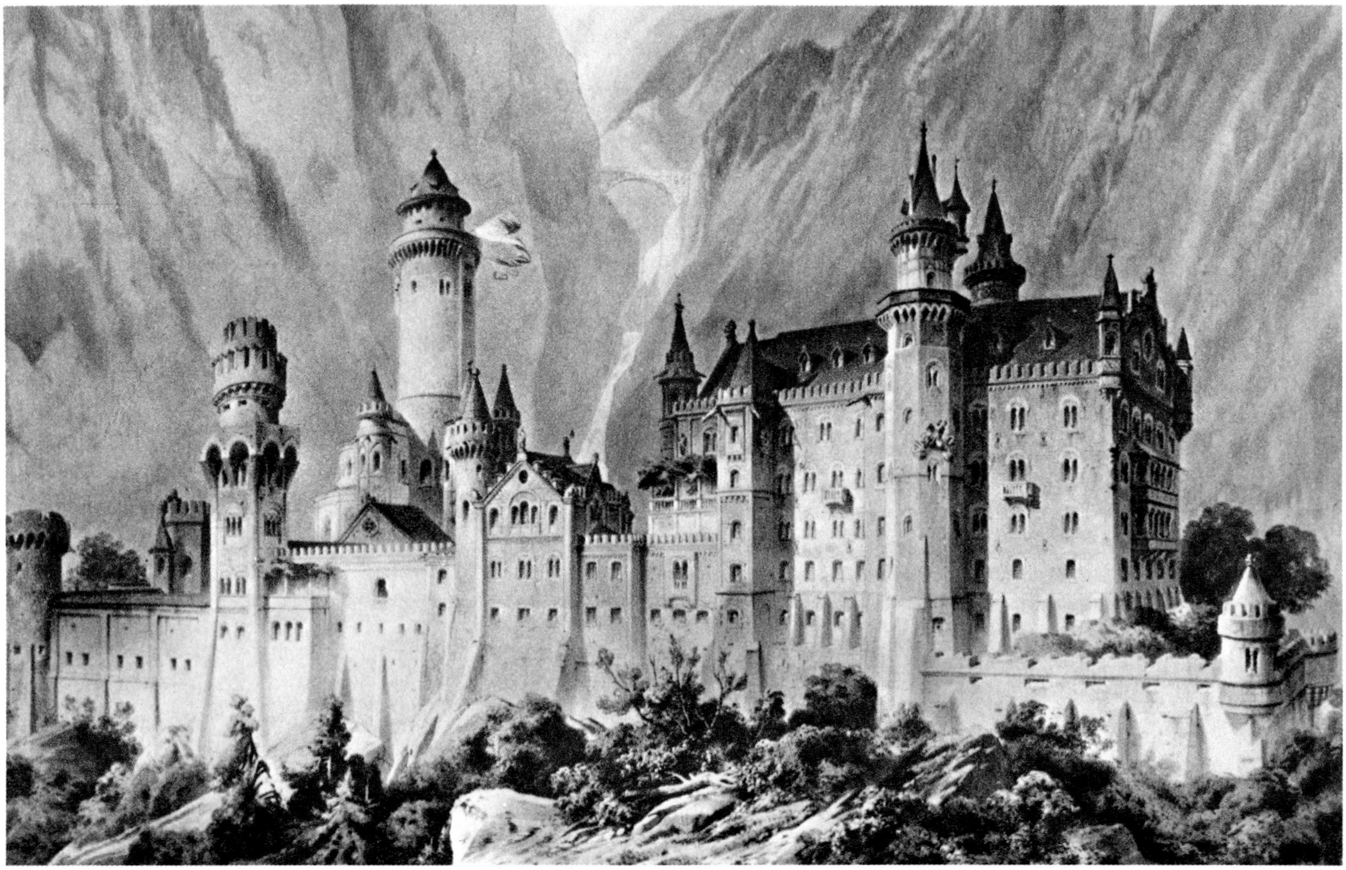

Neuschwanstein

Das weiße Wunder, das hoch auf einem Felskegel leuchtet, vom Wildbach der Pöllat umbraust, hat der König gleichzeitig mit Schloß Linderhof geplant, um den legendären »Sängersaal« der Wartburg nachzubauen. Theatermaler Jank schuf zwei Entwürfe, einen Burghof *(linke Seite oben)* und eine äußere Ansicht *(unten)*, die als Vorlagen dienten. Gleich einem Adlerhorst sollte sich die Burg gegenüber Hohenschwangau erheben. In Anwesenheit des Königs wurde am 5. September 1869 ein Grundstein aus Untersberger Marmor gelegt. Der Bau erfuhr während seines Wachsens noch manche Veränderung, da Ludwig den romantischen Charakter zum Sakralen hin, zur »Gralsburg«, wandelte. Zuerst wurde der Torbau errichtet, der im zweiten Stock die »Königszimmer« erhielt. Den Wohnraum schmückte Wilhelm Hauschild mit Wandgemälden aus dem »Ritterleben im Mittelalter« *(unten rechts)*. Von hier aus pflegte der König das Wachsen des Palas zu beobachten. Um diesen Raum zu erreichen, mußte er aus einem Eckturm des Torbaus ein Stück Flachdach überqueren *(unten links)*. Erst 1873 aber wuchsen die Mauern des Schlosses hoch *(rechts)*. Die realpolitische Wirklichkeit war stärker als Ludwigs irreale Welt: Am 13. Juli 1870 zerriß Bismarcks »Emser Depesche« wie ein Blitz den Friedenshimmel.

Wonne des Augenblicks: König Ludwig II. erteilt den Ritterschlag. Als Großmeister des Ritterordens vom Heiligen Georg berührt er mit einem mächtigen alten Schwert die Schulter eines Vasallen. Das Friedrich Eibner zugeschriebene Aquarell zeigt ein mittelalterliches Zeremoniell, das Ludwig mit einer unnachahmlichen, nur ihm eigenen Würde erfüllte (links).

Rechts: Entwurf für die Ritterburg Falkenstein von Christian Jank.

1870 – Getreu dem Wort

Am 15. Juli 1870, dem Tag der Pariser Kriegserklärung an Preußen, prescht Ludwig von Linderhof nach Schloß Berg. Der Kabinettschef von Eisenhart hält Vortrag, die Beratung dauert von elf Uhr nachts bis einhalb vier Uhr früh, und während der ganzen Zeit darf er sich keinen Augenblick setzen. Die Prüfung der Lage ergibt, daß eine friedliche Lösung unmöglich ist, also: Krieg an der Seite Preußens. Das wieder bedeutet, jede Entscheidung, auch die des Friedensschlusses, entgleiten zu sehen und damit auf das höchste Kronrecht zu verzichten. Stunden vergehen, bis Ludwig endlich die Worte herausstößt: »Ja! Der Bündnisfall ist gegeben!« – Als Eisenhart um sechs Uhr früh wiederkommt, findet er ihn in seinem blauseidenen Himmelbett, mit strahlenden Augen. Die Befriedigung darüber, die Treue zum gegebenen Wort zu wahren, verklärt ihn, und mit königlichem Stolz entscheidet er: »Bis dat qui cito dat – Doppelt gibt, wer schnell gibt.« Eisenhart erhält den Befehl, die Mobilmachungsordre zu entwerfen, und als nachmittags Graf Bray und Freiherr von Pranckh erscheinen, ist die Entwicklung schon in vollem Gang. Das Heer ist auf Grund des Schutz- und Trutzbündnisses nach preußischem Muster reformiert, kein Bürger mehr kann sich vertreten lassen, jeder ist wehrpflichtig. Am 27. Juli trifft Kronprinz Friedrich von Preußen als Befehlshaber der süddeutschen Truppen ein, und die Münchner reißen die Augen auf: Zum ersten Mal wehen in der Stadt die schwarzweißroten Fahnen des Norddeutschen Bundes. Gern hat sie Ludwig nicht zeigen lassen, doch höflich geleitet er den Gast zur Residenz.

Der König in bayerischer Generalsuniform.

Der bayerische Kriegsminister Freiherr von Pranckh.

Der Minister des Äußeren, Graf Bray.

Ein Sturm nationaler Begeisterung

An diesem 27. Juli erlebte die Residenz Ovationen *(unten)*. Im Hoftheater warteten über 2000 Menschen auf eine Festvorstellung von »Wallensteins Lager«, der junge Schauspieler Ernst Possart *(links)* sprach einen selbstverfaßten Prolog. Da die Münchner Dichtergarde versagt hatte – ganz offenbar konnte sich keiner so schnell auf den neuen Zungenschlag umstellen –, hatte Intendant von Perfall ihn damit beauftragt. Possart schmeichelte beiden Dynastien – und so wurden die deutschen Völker »geführt von einem königlichen Paar: von Bayerns Löwen und von Preußens Aar«. Es reimte sich, es klang pompös, und bei den Zeilen: »Der König rief, mag denn das Schicksal walten, ich will dem Bundgenossen Treue halten« deutete Ludwig eine Umarmung mit dem preußischen Kronprinzen an, und des Jubels war keine Ende mehr. Possart schrieb darüber: »Als die beiden märchenhaften Gestalten, der hochgewachsene, hellbärtige, nordische Königssohn mit den leuchtenden blauen Augen und der ihn um Haupteslänge noch überragende, dunkelgelockte Bayernherrscher, sich umarmten, toste der Beifall immer wieder sich erneuernd.« Possart erhielt vom König ein lebensgroßes Brustbild, und sogar der preußische Kronprinz war mit ihm zufrieden, bemerkte er doch zu seinem Stab: »Der junge Mann hat sich sehr anständig herausgebissen.«

Bayern und Preußen Seite an Seite

Mit voller Absicht wurde die Offensive von der dritten deutschen Armee unter Kronprinz Friedrich Wilhelm eröffnet, damit die Bayern gleichzeitig mit den Preußen die Feuertaufe empfingen. So hatten sie schon am ersten Sieg auf französischem Boden, im Gefecht bei Weißenburg, Anteil. Ihr Feldherr, vor dem sie in Speyer defiliert hatten *(linke Seite)*, sah mit seinem Stab auch während der Schlacht bei Wörth *(unten)*, daß er sich auf diese Corps verlassen konnte – und beim Sturm auf Fröschweiler erbeutete das 2. Bayerische Infanterieregiment den ersten französischen Adler. Die große Bewährung brachte Sedan. Die Franzosen wollten über Bazeilles ausbrechen, und hier standen die Bayern. Ihre Tapferkeit bekunden allein schon ihre Verluste: 213 Offiziere und 4000 Mann. Der Feldzug von Sedan endete mit der Gefangennahme des Kaisers Napoleon III. und von 83000 Mann. Der preußische Kronprinz zog vor Paris, von der

Tann mit den Bayern in den Loirefeldzug. Bei den Kämpfen um Orléans konnte er seine Scharte von 1866 auswetzen, und nach preußischem Urteil gereichte »die Art und Weise, wie sich die Bayern dort geschlagen haben, ihnen für ewige Zeiten zum glänzendsten Ruhm«. Inzwischen hatte Bismarck seinen Kaiserplan vorwärts getrieben, aber die von ihm angeregte Zusammenkunft Ludwigs mit dem Preußenkönig in Versailles kam nicht zustande. Dafür pochten die bayerischen Abgesandten auf Reservatrechte, und Bismarck machte Zugeständnisse. Das brachte ihn zu einer heftigen Auseinandersetzung mit dem preußischen Kronprinzen, der an Stelle einer »zarten Behandlung« forderte, »ihnen die Macht zu zeigen«. Entscheidend aber blieb, daß Ludwig – als Monarch des zweitgrößten Staates – dem preußischen König den Kaisertitel antrug. Und dabei spielte Graf Holnstein eine Sonderrolle...

Der Kaiserbrief

Immer wieder wird bei Schilderungen des Zustandekommens dieses Briefes gesagt, daß Ludwig unter ein Schreiben von Bismarck seinen Namen setzte – und manchesmal wird sogar behauptet, daß Graf Holnstein die Unterschrift gefälscht hätte. Wahr ist nur, daß er den König massiv zum Schreiben zwang. Ludwig hat aber Bismarcks Entwurf nur scheinbar »abgeschrieben«, wie unsere Wiedergabe des Dokumentes aus dem Preußischen Geheimen Staatsarchiv beweist. Sein Brief lautet: »Nach dem Beitritt Süddeutschlands zu dem deutschen Verfassungsbündnis werden die Ew. M. übertragenen Präsidialrechte über alle deutschen Staaten sich erstrecken. Ich habe mich zu deren Vereinigung in einer Hand in der Überzeugung bereit erklärt, daß dadurch den Gesamtinteressen des deutschen Vaterlandes und seiner verbündeten Fürsten entsprochen werde, zugleich aber in dem Vertrauen, daß die dem Bundespräsidium nach der Verfassung zustehenden Rechte durch Wiederherstellung eines Deutschen Reiches und der deutschen Kaiserwürde als Rechte bezeichnet werden, welche Ew. M. im Namen des gesamten deutschen Vaterlandes auf Grund der Einigung der Fürsten ausüben. Ich habe mich daher an die deutschen Fürsten mit dem Vorschlage gewendet, gemeinschaftlich mit mir bei Ew. M. in Anregung zu bringen, daß die Ausübung der Präsidialrechte des Bundes mit Führung des Titels eines Deutschen Kaisers verbunden werde. Sobald mir Ew. M. und die verbündeten Fürsten Ihre Willensmeinung kundgegeben haben, würde ich meine Regierung beauftragen, das Weitere zur Erzielung der entsprechenden Vereinbarungen einzuleiten.« – Ein Vergleich der Schriftstücke zeigt, daß Ludwig die »Präsidialwürde« betonte.

46.

König Ludwig II. von Bayern an König Wilhelm I. von Preußen: Anerbieten der Kaiserkrone.

Der Brief ist das Ergebnis langer Bemühungen anderer deutscher Bundesfürsten, insbesondere des Großherzogs Friedrich II. von Baden, und wieder Bismarck als spiritus rector hinter ihnen. Das ausgeprägte Selbstgefühl Ludwigs II. ertrug es nur schwer, sich einem anderen Fürsten unterzuordnen, dem er sich bisher als ebenbürtig betrachtet hatte. Schließlich ist es nach Abschluß der Verträge mit Bayern, die durch ihre Sonderrechte dem König doch eine bevorzugte Stellung im Deutschen Reiche gewährten, Bismarcks überlegener Diplomatie gelungen, den König nicht nur zur Stellung des Antrages zu bewegen, sondern ihn den Brief sogar nach einem eigenhändigen Entwurf Bismarcks schreiben zu lassen. Der Text dieses Entwurfes lautet:

„Die Erklärungen meiner Minister über den Beitritt Bayerns zum Deutschen Bunde haben meine Bereitwilligkeit dargethan dem Präsidium des Bundes die Rechte zu übertragen, deren Vereinigung in Einer Hand Mir durch die Gesamtinteressen des deutschen Vaterlandes und seiner verbündeten Fürsten geboten schien. Ich habe mich dazu in dem Vertrauen entschlossen, daß die dem Bundespräsidium nach der Verfassung zustehenden Rechte durch Wiederherstellung der deutschen Kaiserwürde als Rechte bezeichnet werden welche Ew. M. im Namen des gesammten deutschen Vaterlandes, auf Grund der Einigung seiner Fürsten ausüben. Ich habe daher meine Regierung beauftragt, bei den verbündeten deutschen Regierungen eine Vereinbarung darüber in Vorschlag zu bringen daß die Ausübung der Präsidial-Rechte des Bundes mit Führung des Titels eines deutschen Kaisers verbunden werde."

Das Schreiben des Königs zeigt geringe, aber doch charakteristische Abweichungen von der Vorlage. In dem Begleitschreiben schob Bismarck, geschickt auf die Psyche des Königs berechnet, in den Vordergrund, daß einmal sonst die Volksvertretung, d. h. der Reichstag, die Initiative in der Kaiserfrage ergreifen werde: „Die Stellung würde gefälscht werden, wenn sie ihren Ursprung nicht der freien und wohlerwogenen Initiative des mächtigsten der dem Bunde beitretenden Fürsten verdankt", dann sei es auch leichter für den König, sich dem kaiserlichen Bundespräsidium unterzuordnen: „Der Deutsche Kaiser ist ihr Landsmann, der König von Preußen ihr Nachbar; nur der deutsche Titel bekundet, daß die damit verbundenen Rechte aus freier Überzeugung deutscher Fürsten und Stämme hervorgehen."

Laut den Kanzleivermerken wurde der Eingang des Schreibens sofort an etliche Bundesfürsten, den preußischen Kronprinzen und Minister Delbrück mitgeteilt, der dasselbe im Reichstag in der Debatte über die Annahme der Verträge zur Kenntnis brachte.

Politisches Archiv des Auswärtigen Amtes. Eigenhändige Ausfertigung.

Links: Der Entwurf Bismarcks, ein diplomatisches Meisterstück.

Rechte Seite: Ludwigs Kaiserbrief.

Oben rechts: Der Schreibtisch in Schloß Hohenschwangau, an dem der König dieses Dokument im Beisein Graf Holnsteins niederschrieb.

Ludwig II. gibt seine Unterschrift

Bayerns Außenminister Graf Bray ist für ein Verfassungsbündnis mit dem Norddeutschen Bund, er beeinflußt die Minister in München, entsprechend auf den König einzuwirken. So geht der erste Anstoß zu dem unendlich bedeutungsvollen Schritt – unter dem Einfluß der nationalen Begeisterung – vom Ministerium aus. Ludwig zögert und schickt den Oberstallmeister von Holnstein nach Versailles, um »das Terrain zu rekognoszieren«. Holnstein jedoch geht sofort zu Bismarck, und sie verstehen sich ausgezeichnet. Es beginnt ein »scharfes Pokulieren«, Bismarck dringt auf eine Erklärung Ludwigs, und der Roßober meint treuherzig: »Wissen S' was, Exzellenz, schreiben S' gleich selber auf, wie der Brief sein soll, sonst gibt es hintennach wieder Anständ!« Das hat er später oft erzählt. Bismarck schmunzelt und entwirft auf der Stelle das Schreiben. In vier Tagen ist Holnstein in Hohenschwangau. Ludwig liegt im Bett, er leidet an einer schmerzhaften Zahnbehandlung, aber der Bote bleibt hart und erhält das kostbare Dokument. Ganz wohl ist Ludwig dabei nicht, und er befiehlt ihm, das Schriftstück dem Kabinettschef Eisenhart vorzulegen, aber der billigt es sofort. Der eigentlich zuständige und in München weilende

Der Freiballon, mit dem Léon Gambetta aus dem belagerten Paris entfloh. Er baute einen Nationalwiderstand auf, ohne den der Krieg wahrscheinlich im Herbst 1870 zu Ende gegangen wäre.

Links: Der bayerische General von der Tann.

Ministerpräsident und Außenminister Graf Bray wird umgangen, und am nächsten Morgen requiriert Holnstein eine Lokomotive, so eilig hat er's. Dieser Coup entspricht seinem abenteuerlichen Charakter, und es paßt gut dazu, daß er zwecks Belohnung den Namen des Lokführers lässig auf seine Manschette notiert. Als Graf Bray alles erfährt, ist er außer sich, zumindest hätte er eine territoriale Entschädigung herausgeholt. Die Reue Ludwigs kommt zu spät. Bismarck lobt Holnstein, hält einen feierlichen Toast auf Seine Majestät, den König von Bayern, und das preußische Hofmarschallamt lädt zur Ausrufung des Deutschen Kaisers nach Versailles ein.

Rechte Seite oben: Bismarcks Standquartier in Versailles.

Unten: Prinz Luitpold von Bayern überreicht König Wilhelm von Preußen Ludwigs »Kaiserbrief«.

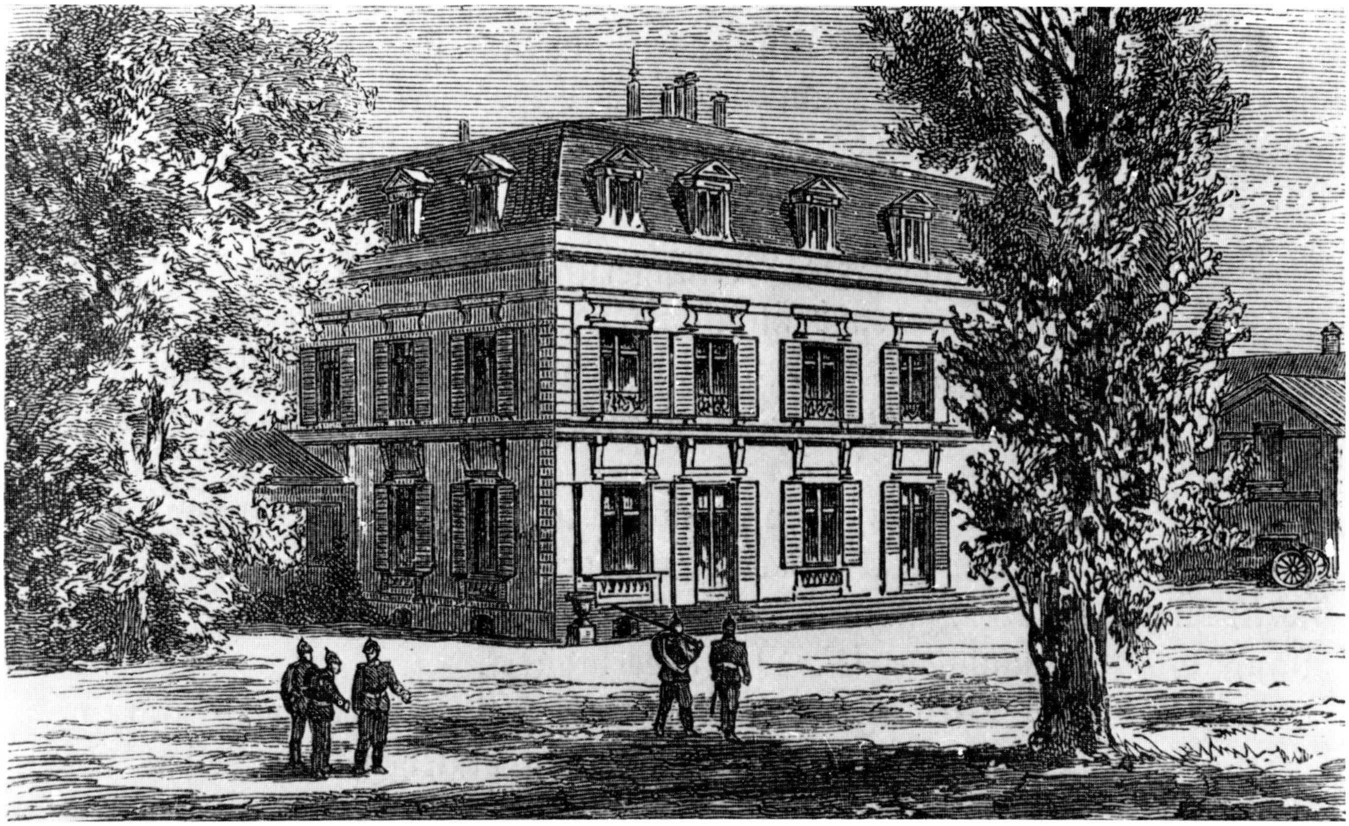

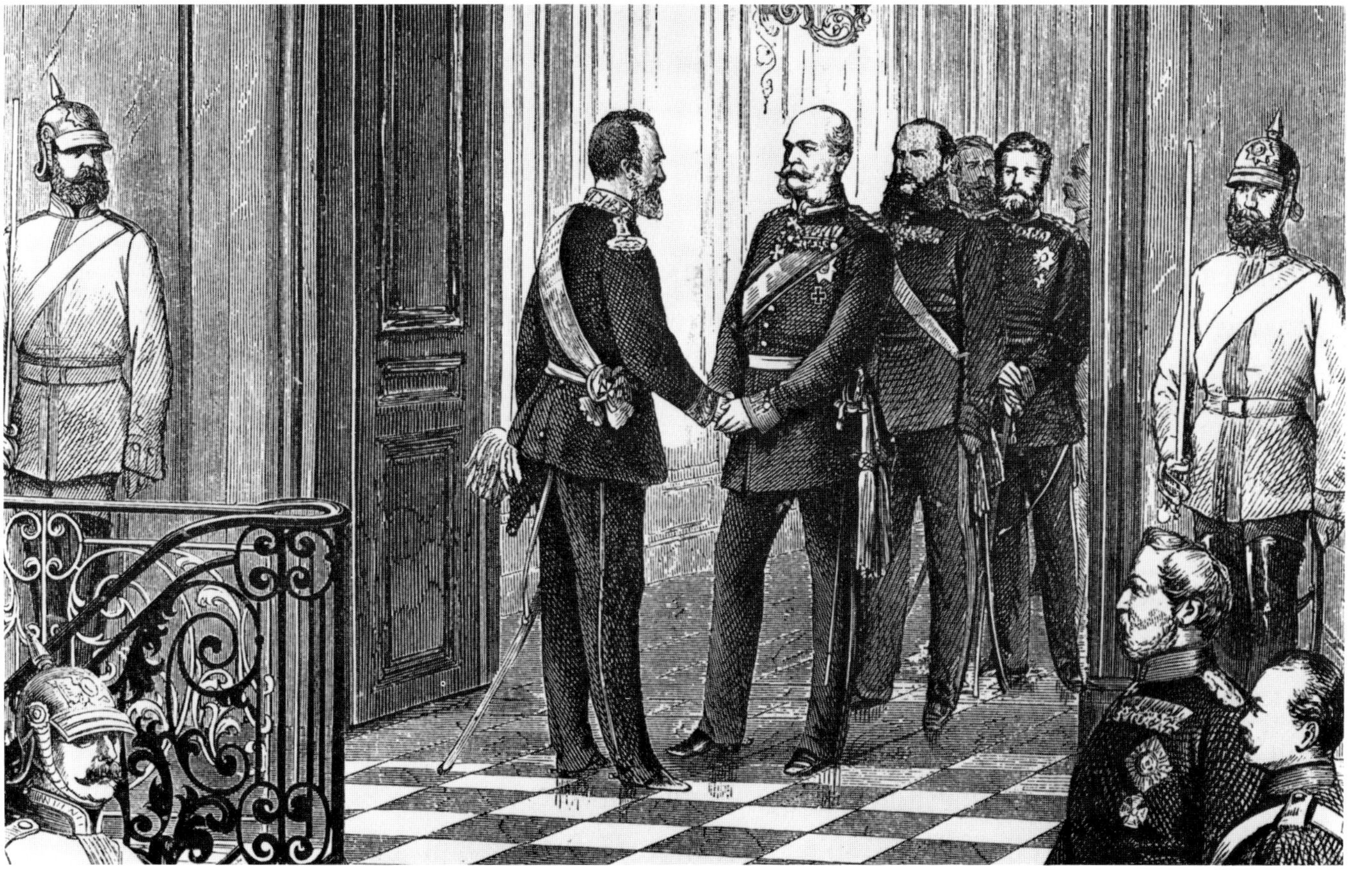

Die Kaiserproklamation in Versailles

Der Spiegelsaal des Versailler Schlosses war als deutsches Lazarett eingerichtet worden *(links)*. Zur Kaiserproklamation *(unten)* wird er geräumt, und am 18. Januar 1871 zieht mit rauschenden Fahnen der klirrende Glanz der Hohenzollern ein. Nach einer Ansprache Bismarcks »an das deutsche Volk« bringt der Großherzog von Baden das erste Hoch auf den Kaiser aus, das zum Jubelsturm wird. Kronprinz Friedrich Wilhelm findet die Szene »mächtig ergreifend« – Prinz Otto von Wittelsbach, der unbeachtet in der Menge steht, spürt »namenloses Weh«.

Rechte Seite: Zeitgenössisches Gedenkblatt für Ludwig II. mit einem Spruch von Paul Heyse. Nach einer Lithographie.

So lang dem Heer das
deutsche Banner weht,
Sei Der geehrt der es zuerst erhöht,
So lang der Bau des Reichs die
Zinne trägt,
Sei Dem gedankt, der treu den Grund gelegt,
Der mit der Krone Zier geschmückt das Dach
Und sprach: dem Kaiser huldigt Wittelsbach.

Heil dem Blaue v. Deutschen Heil dem tausendtägig
Ludwig dem Bauerns edlem König
Paul Heyse

Zehntägige Redeschlacht im Bayerischen Parlament

Die Versailler Vereinbarungen erregten den lodernden Zorn der Patriotenpartei, doch wurden die Verträge mit einer Zweidrittelmehrheit gebilligt – ein Ergebnis, das auch der Stimmung des Volkes entsprach. Ungezählte Adressen hatten das »Ja« des Landtags gefordert. Damals wurde der König auch »Ludwig der Deutsche« genannt, ein nationales Gedenkblatt *(vorhergehende Seite)* ging darauf ein. Das erste sichtbare Zeichen für die neuen Verhältnisse aber bildete der neue Preußenadler, über dem die deutsche Kaiserkrone schwebte *(oben und links: Kaiser Wilhelm I.)*. Damit war Wirklichkeit geworden, was Emanuel Geibel *(links)* schon zwei Jahre zuvor in einem Huldigungsgedicht an den Preußenkönig sagte:

> Und sei's als letzter Wunsch gesprochen,
> Daß noch dereinst Dein Auge sieht,
> Wie übers Reich ununterbrochen
> Vom Fels zum Meer Dein Adler zieht!

Prompt hatte Ludwig ihm dafür einen Ehrensold entzogen, der ihm bereits von seinem Vater Maximilian ausgesetzt war – was wiederum Paul Heyse veranlaßte, auf seinen eigenen Ehrensold freiwillig zu verzichten. Das war ärgerlich, aber es blieb dabei und daran ist Ludwigs Sinn zu erkennen, dessen Sorge um Bayerns Wohlergehen später nur Bismarck beschwichtigen konnte. Der Reichskanzler selber brachte ihm zeitlebens Zuneigung und großes Verständnis in politischen Fragen entgegen, auch hatte er stets in seinem Arbeitszimmer ein Bild von ihm hängen.

16. Juli: Die Siegesfeier

»Das ist mein erster Vasallenritt«, sagte Ludwig bitter, als er nach einer Truppenschau auf dem Oberwiesenfeld in großer Uniform und »schön wie eine Märchenerscheinung« mit seinem Gefolge in die Ludwigstraße preschte, um sich vor dem Denkmal Ludwigs I. zum Vorbeimarsch der siegreichen Armee aufzustellen. Kronprinz Friedrich ritt ihr voran. Vor der Universität erhielt er vom Bürgermeister einen Willkommensgruß und einen Lorbeerkranz, sein Dank war markig. Weiter ging es, an der Spitze der Generäle und Stabsoffiziere hinab zum Odeonsplatz – eine kurze Begrüßung, dann lenkte der Kronprinz sein Pferd neben den König, und ihm zur Seite nahm er die Parade ab. Fahnen flatterten, die Bürger jubelten. Der Oberbefehlshaber der siegreichen Söhne Bayerns strahlte, musterte die Kolonnen mit Hohenzollernblick, und zu ihm, dem Kaisersohn, flogen die Hurras. Endlos dröhnte der Gleichschritt, und nervös tänzelte das Pferd des Kronprinzen, der unaufhörlich seinen Marschallstab hob und senkte. Währenddessen saß Ludwig steinernen Auges auf seinem Rappen, der wie aus Erz gegossen stundenlang sich nicht bewegte. Es war allerdings ein kleiner Trick dabei, eine bayerische List: In Anbetracht des schweren Körpers des Königs hatte man dem Pferd zuvor eine Morphiumspritze gegeben.

Abends fand eine Galavorstellung im Hoftheater statt, aufgeführt wurde Paul Heyses Festspiel: »Der Friede«. Natürlich hat Possart wieder einen Prolog gereimt, aber diesmal »beißt« er sich nicht so gut heraus. Der preußische Gesandte hatte sich vorher das Poem zeigen lassen, las entzückt, daß der Kronprinz mit »Jung-Siegfried, dem Drachentöter«, verglichen wurde und stellte Possart dafür den Roten Adlerorden in Aussicht. Hernach aber fordert Perfall eine Abänderung, weil der König ohnehin überreizt sei und Richard Wagner in ihm Siegfried geehrt hätte. Possart hat selbstverständlich trotzdem enormen Beifall – nur der preußische Gesandte stürzt wütend in seine Garderobe: »Menschenskind, auf ihrem Manuskript steht doch ›Jung-Deutschlands Siegfried‹, und jetzt reden Sie was von des ›Reiches erstem Ritter«…ich bin blamiert, und aus dem Adlerorden wird nischt!« Am nächsten Tag gibt es für Ludwig eine bittere Pille. Er hat den Kronprinzen *(links)* auf die Roseninsel eingeladen und trägt ihm dort eines seiner Ulanenregimenter an. Friedrich aber meint, das müsse wohl erst der Kaiser genehmigen, außerdem wäre er wohl für einen Ulanenrock zu korpulent. Nett ist das nicht. Der König bleibt abends der Militärtafel im Glaspalast *(oben)* fern und fährt ohne jeden Abschied in der Morgenfrühe nach Berg zurück. Ihn beunruhigt die Zukunft Bayerns. 1874 versichert ihm dann Kaiser Wilhelm I. in München, »daß Bayern nie und nimmer für seine Selbständigkeit zu fürchten habe«, und bestätigt seine Zusage mit einem Geburtstagsbrief vom 25. August 1874.

Wagner
in Bayreuth

*Oben: Das Festspielhaus.
1872 war die Grundsteinlegung, 1876 folgte die Eröffnung. Weder Beginn noch
Vollendung wäre ohne die
großzügige finanzielle Hilfe
Ludwigs möglich gewesen.*

*Rechts: Wagners Arbeits-
zimmer im Hause Wahn-
fried.*

Der Hofzug

Rechts: Der Hofzug, in Blau-Gold, mit der Königskrone auf dem Dach. Von den insgesamt acht Wagen existieren nur noch der Aussichtswagen und der Salonwagen, von dem das Bild unten die Inneneinrichtung zeigt. Beide Wagen sind heute die Prunkstücke des Nürnberger Verkehrsmuseums. Das Neuvergolden nach der Währungsreform kostete 30 000 DM.

Linke Seite: Szenenbild aus Richard Wagners »Walküre, Siegmunds Tod«.

Kurz nach Mitternacht, es ist der 6. August 1876, kommt Ludwig nach Bayreuth. Die Stadt ist illuminiert, eine festlich erregte Menge erwartet den König. Nur Wagner hat man genau informiert, ebenso einige Eisenbahnbeamte. Dreiviertel Stunden von Bayreuth entfernt, mitten auf freiem Feld, wartet neben den Schienen ein Hofwagen. Wagner, in weißer Weste und schwarzem Frack, trippelt unruhig hin und her. Um null Uhr dreißig ertönt ein Hornsignal, und gleich einem Geisterzug rollen fünf Wagen an, halten knirschend. Ein Lakai springt ab, reißt die Tür des Salonwagens auf – und Ludwigs Augen ruhen auf dem Freund, den er acht Jahre lang nicht mehr gesehen, nie aber vergessen hatte. Wagner faßt sich ans Herz, während ihm Tränen aus den Augen rollen. Seine ausgestreckte Rechte zittert, und da wird sie schon von der des Königs gedrückt. Beide bleiben stumm, und schweigend grüßen auch die wenigen Anwesenden. Unter ihnen befindet sich ein Berliner Journalist, der das Kunststück vollbracht hat, zu wissen »wo und wann«. Er allein kann davon berichten, und er vergißt nicht zu erwähnen, daß sich Richard Wagner »ohne jede Aufforderung Seiner Majestät in den Wagen neben Seiner Majestät« gesetzt hat. Und er täuscht sich auch nicht, wenn er darüber »ein gewisses Befremden« des Königs zu erkennen glaubt. Aber Ludwig läßt die Sache hingehen. Er besucht einige Tage lang die Hauptproben zum Ring, wird stürmisch bejubelt, wo er sich nur zeigt. Als der Abschied kommt, stehen in der späten Sommernacht Fackelträger bis hinauf zu seinem Hofzug Spalier...

Links: Weihestunde im Hause Wahnfried. Von links, sitzend: Siegfried Wagner, Cosima Wagner und Amalie Materne. Rechts: Liszt, der Vater Cosimas, am Flügel. Davor: Gräfin Marie Schleinitz und Gräfin Usedom. Stehend, von links nach rechts: Franz v. Lenbuch, Paul Joukorsky, Franz Fischer, Richard Wagner. Sitzend: Fritz Brand und Hermann Levi. Es folgen rechts: Hans Richter, Franz Betz und Albert Niemann. Oben: Ein Porträt Ludwigs II.

Neue Schulden in Bayreuth und neue Hilfe

Richard Wagner hat sein »Wahnfried« gefunden, doch trotz aller Erfolge ergeben sich Defizite. Wieder wendet er sich an Ludwig, aber diesmal ist auf keine Rettung zu hoffen. Die Aktivbestände der Kabinettskasse werden durch die Bauten Ludwigs derart in Anspruch genommen, daß man vor einem Abgrund steht, selber verzweifelt nach neuen Geldquellen sucht und Schulden macht, wo es nur irgendwie möglich ist. Da springt in nobler Weise von Perfall ein. Er unterbreitet dem König, daß das Hoftheater seit Jahrzehnten den Wagnerwerken reichste künstlerische Entfaltung verdanke und bedeutende Summen eingenommen habe, ohne daß der Autor eine Gegengabe erhalten hätte. Deshalb schlage er vor, an Wagner so lange eine Tantieme von 10% aus den Bruttoeinnahmen seiner Werke auszubezahlen, bis das Bayreuther Defizit gedeckt sei. Auch Ludwigs Finanzberater, Hofrat Bürkel, macht mit, und so ist alles wieder einmal gerettet.

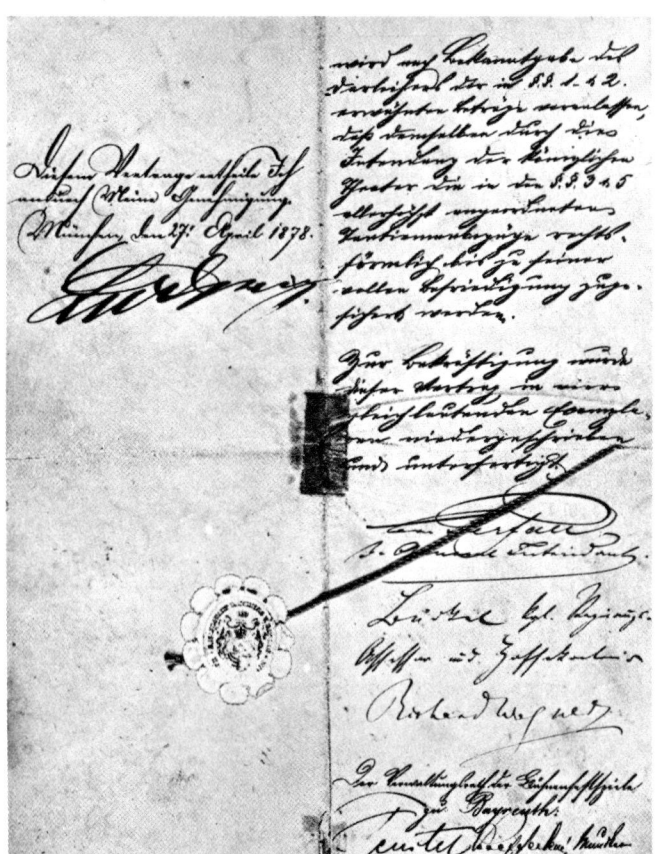

Rechte Seite: »Der Ring des Nibelungen, Walküre«. Szenenbild, Lithographie von Ferdinand Leeke.

Links: Die letzte Seite des achtseitigen Originalvertrages vom 31. März 1878, mit den Unterschriften von Ludwig, Perfall, Bürkel, Richard Wagner und dem Verwaltungsrat der Bühnenfestspiele zu Bayreuth, Bankier Feustel.

Rechte Seite: »Der Ring des Nibelungen, Rheingold«, 1. Aufzug: »Haltet den Räuber! Rettet das Gold!« Szenenbild, Fresco von Michael Echter.

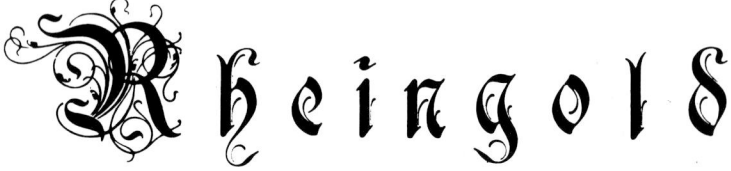

Rheingold

Die schwimmenden Rheintöchter

Völlig betäubt sitzen die Zuschauer im Bayreuther Festspielhaus und starren auf niegesehene, kühne Féerien der Bühne. Einen beispiellosen Höhepunkt bildet das Erscheinen Alberichs und der Rheintöchter *(rechte Seite)*. Wie aber wird dieser Effekt erzeugt? Tief unter der Bühne *(Bild unten)* sind hohe Gestelle mit eisernen Schuhen. Diese und ein eiserner Reif, gegen den sich die Rheintöchter lehnen, helfen den Sängerinnen, das Gleichgewicht zu bewahren. Ihre Gewänder sind nach hinten gezogen und befestigt, wodurch ein Nixenschwanz vorgetäuscht wird. Jeder Apparat wird von mehreren Männern bedient. Einer windet mit einer Kurbel die Rheintöchter zur Bühnenhöhe hoch – ein anderer dirigiert nach der Partitur das rechtzeitige Hochheben und alle Wiegebewegungen, die das Schwimmen darstellen. Die komplizierte Vorrichtung durfte von Paula von Bülow, der Oberhofmeisterin des Großherzogs von Mecklenburg-Schwerin, besichtigt werden. Sie beschrieb alles genau und faßte ihre Eindrücke in die Worte zusammen: »Es gehören gute Nerven dazu, um in so gefährlicher Lage die gesangliche Aufgabe zu lösen. Die Vertiefung des Orchesterraumes aber war derartig, daß die Sänger an manchen Stellen der Bühne den Orchesterdirigenten nicht sehen konnten. In den Kulissen standen deshalb einige Hilfsdirigenten, die die Aufgabe hatten, der Partitur folgend, Zeichen oder musikalische Stichworte zu geben.«

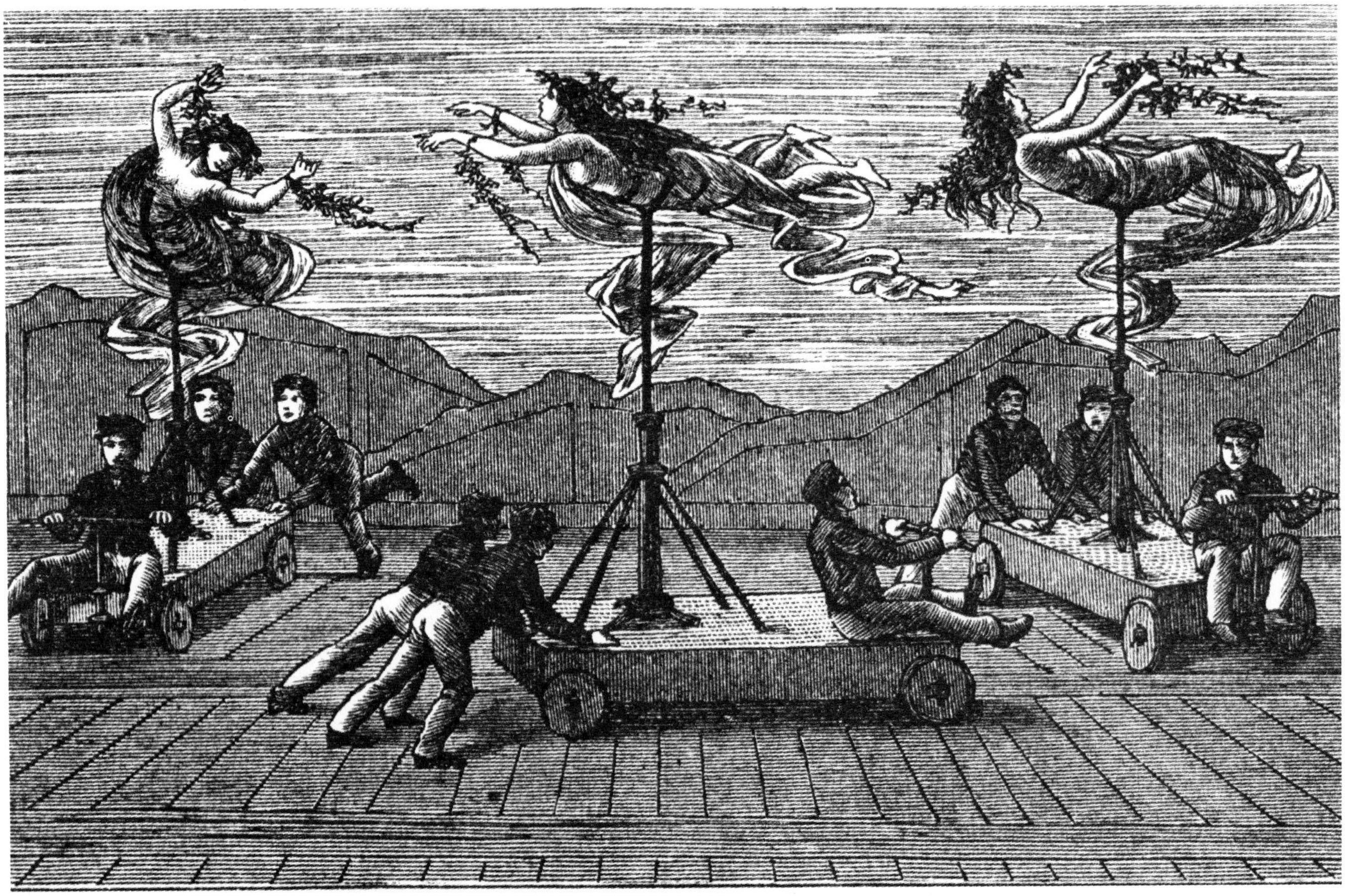

Die Separatvorstellungen im Hoftheater

»Ich kann keine Illusionen im Theater haben, solange die Leute mich unausgesetzt anstarren und mit ihren Operngläsern jede meiner Mienen verfolgen. Ich will selbst schauen, aber kein Schauobjekt für die Menge sein.« Diese Worte äußerte Ludwig II. einmal zu Possart, und endlich fragte er Perfall, ob er einmal einer Probe ganz allein beiwohnen könne. Natürlich wurde das bejaht, und so entstanden die berühmten »Separatvorstellungen«. Insgesamt fanden 208 davon statt, sie begannen am 6. Mai 1874 und endeten mit dem 12. Mai 1885. Es wurde unendlich viel darüber geredet, nicht zuletzt über »das viele Geld«, das der König hier verschwende. Aber das Hoftheater war eine höfische Institution. Nicht das Volk bezahlte, Kosten und Defizits wurden aus der königlichen Zivilliste bestritten. Außerdem war es Ludwig allein zu verdanken, daß die Werke Wagners aufgeführt wurden, ebensowenig darf vergessen werden, daß Generalintendant Perfall völlig frei walten konnte. Der König hat also nicht in den Spielplan eingegriffen oder gar zu bestimmen versucht, was dem Volk »zuträglich« wäre oder nicht. Seine eigene Vorliebe galt geschichtlichen Stoffen. Seine Privatvorstellungen waren auch nicht »geheim« – das Haus war an diesen Abenden voll beleuchtet. Nach Schluß sandte Ludwig oft diesem und jenem Schauspieler noch Blumen oder Geschenke, und dafür mußte sofort, mitten in der Nacht, ein Dankesbrief geschrieben werden. Die Boten warteten darauf.

Oben: Die Bühne des Hoftheaters, bei geschlossenem Vorhang.

Links außen: Der Intendant des Hoftheaters, Freiherr von Perfall.

Nebenstehend: Karl Heigel, ein vielbeneideter Autor, der nach Ludwigs Wünschen Stücke schrieb, die nur für ihn einstudiert und aufgeführt wurden. Der König hat mehrere Autoren für seine Separatvorstellungen beschäftigt. Fast immer handelte es sich um Themen aus der Bourbonenzeit, die so wirklichkeitsgetreu wie nur möglich abrollen mußten.

Prinz Otto
fällt in Wahnsinn

Anzeichen partieller Geisteszerrüttung erforderten Anfang 1873 eine Isolierung des einstmals so lebenslustigen Prinzen Otto *(rechts)*. Seitdem lebte er unter milder Bewachung in Schloß Nymphenburg, und von dort gelang es ihm, am Fronleichnamstag zu entkommen. Er fuhr nach München, ging in die Frauenkirche, und während der Erzbischof das Hochamt zelebrierte, stürzte er plötzlich zu den Altarstufen vor und bekannte laut schreiend schreckliche Sünden. Der Gläubigen bemächtigte sich eine ungeheure Aufregung, doch ließ sich Otto von zwei Kirchendienern willig hinwegführen. Nun mußte die Internierung strenger werden, und er wurde nach Schloß Fürstenried gebracht, das er sein Leben lang nicht mehr verlassen sollte. Bei Ludwig rief die Geisteskrankheit seines Bruders düstere Ahnungen wach – ihn bangte vor dem eigenen Schicksal. Gerade in letzter Zeit hatte sie ein herzliches Verhältnis miteinander verbunden.

Auf seinen Wunsch war Otto auch nach Versailles gefahren, und der Brief, mit dem er die Kaiserproklamation schilderte, blieb ihm unvergeßlich. »Ach Ludwig«, heißt es in Ottos Bericht, »ich kann Dir gar nicht beschreiben, wie unendlich weh und schmerzlich es mir während jener Zeremonie zumute war, wie sich jede Faser in meinem Innern sträubte und empörte, gegen all das, was ich mit ansah... alles so kalt, so stolz, so glänzend, so prunkend und großtuerisch und herzlos und leer... mir wars so eng und schal in diesem Saale, erst draußen in der Luft atmete ich wieder auf.« – Nun hat der König auch seinen letzten Vertrauten für immer verloren. Viel Dunkles ist bereits um ihn, zu sehr läßt er die Zügel der Regierungsgeschäfte schleifen, die für ihn »Staatsfadaisen« sind. Das Schlösserbauen, das zu seinem Lebensinhalt geworden ist, wird ihm böse angekreidet, und so geschieht es, daß eines Tages auf seinem Weg nach Linderhof eine anonyme Drohung sein Auge erschreckt: Abdanken! *(links)*. Ein Wink von ihm, und die Tafel zersplittert – doch hat nicht er selber schon allzuoft das gefährliche Wort ausgesprochen...? Und doch wird er mehr als je an der Königswürde festhalten – wohlüberlegt eine Distanz zur Öffentlichkeit schaffend, um alle Stunden der Finsternis zu verbergen, denen er sich jählings ausgeliefert fühlt.

Schloß Linderhof

Das Bauwerk ist 1878, der Garten 1877 vollendet. Es bedeutet mehr für Ludwig als nur äußere Pracht, und so nennt er es Meicost-Ettal. Uneingeweihte denken dabei an das nahe Ettal, aber es ist durch ein Umstellen der Buchstaben entstanden, die den Wahlspruch des Sonnenkönigs Ludwig XIV. bildeten: »L'état c'est moi – Der Staat bin ich.« Das Schloß wird Ludwig eine Heimstätte, hier kann er wirklich »wohnen«, und hier wird immer mehr die Nacht zum Tage, versinkt er in dämmernde, irreale Träume. An seiner einsamen Tafel müssen mehrere Gedecke aufgelegt werden, seine Phantasie sieht Bourbonenkönige und Gestalten ihrer Welt zu Gast. Die Diener hören seine Unterhaltung mit ihnen und sehen, wie er mit erhobenem Sektkelch Marie Antoinette und anderen geliebten Schattenfiguren zutrinkt. Unten im Vestibül nimmt er stets vor der Reiterstatuette Louis' XIV. den Hut ab und berührt Statuen, Säulen und bestimmte Bäume im Garten liebevoll mit der Hand.

Oben: Reiterstatue Ludwigs XIV. von Frankreich im Vestibül. Symbol des absoluten Königtums der Bourbonen.

Links: Realisierung eines Märchens für den Märchenkönig: Das »Tischlein-deck-dich« im Speisezimmer des Schlosses.

Ein Märchenbau in goldener Pracht

Jeder Raum in Linderhof kündet mit seinem überladenen Prunk von der Einsamkeit des Königs. In Weiß und Gold ist das Schlafzimmer gehalten, ein mächtiger Glaslüster mit 109 Kerzen glitzert, über dem unwirklich breiten Bett wölbt sich ein kostbarer Baldachin. Über den Kopfkissen leuchtet die Sonne, deren Strahlen draußen er immer seltener sah. Als zweites und farbenprächtiges Wappentier hatte er sich den Pfau erwählt, ungesellig gleich dem Schwan, nur scheuer noch und abweisender.

Oben: Schlafzimmer. Prunkbett, Baldachin mit violetter Samtbespannung. Wandvertäfelung mit vergoldeten Schnitzereien.

Rechts: Lebensgroßer Pfau aus bemaltem Sèvres-Porzellan, westliches Gobelinzimmer.

Im Reich der Träume

Die Märchenwelt Linderhofs, in der sich der König verborgen hielt, erregte bei seinen Untertanen die Neugier und Phantasie. Jede bildliche Darstellung war willkommen. Der Maler H. Breling, der bei den Dekorationen mitgeholfen hatte, gab einige gute Schilderungen. *Links:* Der König im Audienzzimmer. *Unten:* Ludwig bei der Lektüre in der Hundingshütte. Man sieht »der Esche Stamm« mit dem Wälsungenschwert, den Herd, dessen Rauchfang zum Dach hinausführt, Bänke, Felle und primitive Gerätschaften. Mit Stallknechten, Lakaien und Chevaulegers der Schloßwache soll der König hier gezecht haben. Die Hundingshütte, ein Holzbau, ging 1945 in Flammen auf. Richard Wagners Hundingshütte aus der »Walküre« hatte Ludwig im Graswangtal, unweit von Linderhof, nachbilden lassen. Häufig kam es vor, daß er stundenlang darin saß, in eine Lektüre vertieft, deren Inhalt im schärfsten Gegensatz zu dem urwüchsigen Bärenhäutertum stand, das ihn umgab. Oder er ergötzte sich an sogenannten »lebenden Bildern«, die ein auf sein Geheiß inszeniertes Metgelage im altgermanischen Stil darbot... erzählt uns Luise von Kobell in ihren Erinnerungen »König Ludwig II. von

94

Bayern und die Kunst«. Auch die »Blaue Grotte« von Schloß Linderhof hat manches erlebt. Ihre Beleuchtung benötigte damals nicht weniger als 25 Dynamomaschinen. Das Wichtigste an der Grotte war für den König ihr blaues Licht, für das Ingenieur Stöger verantwortlich war. Ausgerechnet an einem Montag fragte Ludwig einmal einen Hilfsarbeiter: »Wo ist Stöger?« – »Der macht blau, Majestät!« kam die Antwort. Und Ludwig, dem diese volkstümliche Redensart völlig unbekannt war, nickte zufrieden: »Ah! Das ist recht, der soll nur weiter blau machen!« Ab und zu speiste der König in der Blauen Grotte und lud sich einen Gast dazu ein. Aber auch seinem Lieblingspferd wurde die Ehre zuteil, in die Blaue Grotte geführt zu werden...

Folgende Seiten:

Links: Schloß Linderhof, Gartenseite.

Rechts: Audienzzimmer.

Rechts: Eine Karikatur: »König Lohengrin«. Wirklichkeitsgetreue Schilderung, hämische Verzerrung und naive Idealisierung mischen sich in den zeitgenössischen Darstellungen.

Unten: Der König fährt im goldenen Muschelkahn in der »Blauen Grotte«, einer künstlichen Tropfsteinhöhle, umher. Ein Monumentalgemälde »Tannhäuser im Venusberg« schließt die Zaubergrotte ab. Wenn Ludwig dort weilt, ist sie wechselnd in Rot, Blau und Grün illuminiert.

Es ist eine bitterkalte Winternacht. Der Wald ächzt unter seiner Schneelast, die er kaum mehr zu tragen vermag, sonst herrscht allerwärts die tiefste Stille, Wald und Flur liegen ja in den Banden des Todes. „O Frühlingszeit, wann kommst du wieder, um den Bann zu lösen, wann ist es uns wieder gestattet, alles Leid abzuschütteln und uns des neugeschenkten Lebens zu freuen!" So mögen die Dryaden träumen, die in den Bäumen wohnen und trauern. „Käme doch eine mächtige Fee, die Alles mit lichtem Glanz erfüllt, daß sie uns wenigstens die Hoffnung brächte, es werde sich Alles wieder zum Guten gestalten.

Horch, was bedeutet dieses Klingen und Schnauben? Sollte sich der Wunsch der Dryaden so schnell erfüllen? Was naht da in rauschender Eile? Fackeln färben den Schnee mit Glut, milchweiße Rosse sprengen heran und eine Fee lenkt sie. Ihr schöner Leib ist von Schilf umrankt, als wäre sie eben erst den Fluthen entstiegen und hoch über ihrem Haupte hält sie eine Krone und von dieser Krone strömt es aus wie Mondlicht Welcher glückliche Herrscher trägt wohl diese Krone? Hinter der Fee sitzt er, der Mächtige, der Erhabene. Hermelin schmiegt sich um ihn, aus seinem Antlitze aber leuchten Augen, in deren Tiefen eine Zauber- und Märchenwelt zu schlummern scheint.

Donnernde Hufe

Ständige Unrast treibt den König zwischen seinen Schlössern, Berghütten und Jagdhäusern umher. Holnstein sorgt für die Pferde, Reise- und Verpflegungswagen. Oft genug hetzt der Kabinettschef hintendrein, dann spielt sich auf einer Wiese sein Vortrag ab. Da steht er im schwarzen Frack mit der blausamtenen Staatsmappe, und in seine Stimme mischt sich das Läuten der Kuhglocken. Finster hört sein König zu, wirft ein paar Sätze hin, unterzeichnet die notwendigsten Schriftstücke, und der unbequeme Mahner ist verabschiedet. Die herkömmlichen Hofkutschen weichen barocken Prachtkarossen, wie sie am französischen Hof einmal üblich waren. Die Residenzstadt bekommt den Herrscher nur noch selten zu sehen, dafür entsteht eine lebendige Verbindung mit dem Landvolk. Bei Hochzeiten und Kindstaufen, beim Heuwenden oder Holzfällen, überall kann es geschehen, daß der König dazukommt und sich mit den einfachen Leuten unterhält. Ohne jede Menschenscheu und Menschenverachtung oder gar Furcht vor Attentaten. Er spricht über die Ernteaussichten, kennt viele Bauern beim Namen. Auch Jäger im Wald werden angeredet, und Hüterjungen kann es passieren, daß sie vom »Kini« eine Uhr geschenkt bekommen. Das alles ist verbürgt.

Einmal im Jahr ließ sich der König über die Eisenbahnschienen der Großhesseloher Brücke, die in 32 Meter Höhe und mit einer Länge von 250 Metern über das zerklüftete Isartal spannt, Holzbohlen legen – um in einer Karosse darüberzubrausen. Vom Süden leuchtete die Gebirgskette, im Norden standen die Türme der Stadt, tief unter den donnernden Hufen der Pferde rauschte die grüne Isar – eine unvergleichlich königliche Fahrt, die nur ein Ludwig II. sich ausdenken und auch realisieren konnte. Im Winter aber glitten Galaschlitten durch stäubenden Schnee, und Hunderte fanden willkommenen Verdienst, stundenweite Bahnen durch das tiefverschneite Land schaufelnd.

Linke Seite: Eine nächtliche Schlittenfahrt. Zeichnung aus »Neues Münchner Tagblatt« von 1898, untenstehend eine Schilderung dazu.

Rechts: Aus den Kufen eines Prunkschlittens heraus tragen Putten hoch oben eine Krone, die elektrisch zu beleuchten war. Die Batterie befand sich unter dem Sitz des Königs. Er konnte die Lampe anknipsen und mit einem weiteren Schalter Hornsignale für den Vorreiter auslösen.

Unten: Ludwigs Nymphenschlitten.

Ständige Unrast

Im schönen Graswangtal, nahe dem Kloster Ettal, steht Schloß Linderhof, von dem aus Ludwig II. jeden Winter seine legendären Schlittenfahrten unternahm. Traumhaft ging es wie im Sturm dahin. In klirrend kalten, dunklen Nächten, im hellen Mondlicht, durch Dörfer, Wälder und Felder, bergauf, bergab. Oft wurde die Landesgrenze überschritten, in Tirol warteten verschwiegene Absteigequartiere, und kein Bediensteter durfte darüber sprechen. Erstarrt standen die Glücklichen, an denen die Eskorte in nächster Nähe vorüberjagte, oder die, durch Hundegebell hochgeschreckt, durchs Fenster einen Blick auf die Féerie erhaschten. Aufat-

Links: Der König in dem schweren Pelz, den er bei seinen Schlittenfahrten trug. Zeichnung von Professor Hecht.

Links eine herbstliche Szene: Ludwig fährt zum Schachen hoch.

Rechts: Ein Prunkschlitten wartet vor Schloß Linderhof, und mit sechs milchweißen Pferden geht die Fahrt bis in die Nacht hinein. Von königlicher Pracht sind die Kostüme des Vorreiters und der Piqueure, mit gepuderten Perücken und Dreispitz vollenden sie ein Bild aus der Rokokozeit. Im Schlitten, unter Pelzdecken, sitzt der König.

mend schlugen sie hernach ein Kreuz – sie kannten Weg und Steg, wußten um Schluchten und tückische Weiher am Feldrand. Und das Tempo dieser Fahrten war gefährlich. Im dichten Schneetreiben verlor einmal der Vorreiter den Weg, und verzweifelt weiterjagend, wäre er beinahe in einen Abgrund gesprengt, wenn ihn Stallmeister Hornig nicht im letzten Augenblick zurückgerissen hätte. Ludwig merkte nichts davon, er träumte von einem fernen Land, in dem er sich als absoluter Herrscher sah. Tatsächlich ist Reichsarchivrat Franz von Löher für ihn einmal auf Entdeckungsfahrten gewesen, doch fand er weder auf den Kanarischen Inseln noch auf Zypern, Kreta und der Krim das Passende. Löher wurde später deshalb angefeindet und belächelt – aber er hatte eine herrliche Reise gemacht.

Fackelschein, silbernes Schellengeklingel – dumpfer Hufschlag, schnaubende Pferde – ein Schlitten mit dem König im Hermelin, mit Krone und Zepter, braust heran!
Ein Märchenbild, das gleich einem Spuk in der Winternacht entschwindet . . .

Der König und seine Diener

Das Königshaus am Schachen, von Ludwig 1872 erbaut, zeigt im Obergeschoß morgenländische Schwülstigkeit. Hier hat er seine Dienerschaft in maurischer Verkleidung Sorbet trinken und aus Wasserpfeifen rauchen lassen – ähnlich wie sie in der Hundinghütte aus Methörnern trinken mußten, und beides ist für sie bestimmt eine Gaudi gewesen. Ludwig wiederum mag ihnen nicht ohne Ironie zugesehen haben. Doch wird berichtet, daß er selber mitmachte und daß man gegenseitig seine körperlichen Kräfte maß. Jedenfalls hatte er einzelne Günstlinge, die von ihm mit Geschenken überhäuft wurden, und es gab Offiziersburschen, die nach ihrer Abkommandierung zum König mit einem Brillantring am Finger die Pferde striegelten. Ringe und Uhren verschenkte Ludwig gerne. Der 95jährige Fritz Schwegler zeigte 1961 stolz einen Ring vor, den er samt Uhr und Krawattennadel vom König empfing. Als Vorreiter mußte er einmal beim Servieren aushelfen, und dabei hielt er mit der Hand einen Fisch fest, der ihm sonst von der Platte gerutscht wäre. Seine Manipulation war Ludwig aber nicht entgangen, und vor seinem Wutanfall lief Schwegler davon. Am nächsten Tag erhielt er dann als Pflaster die Geschenke. Einer der vertrautesten der Diener war Stallmeister Richard Hornig, der ihm sogar als Privatsekretär diente, aber 1885 entlassen wurde – weil er die Millionen nicht herbeibringen konnte, die zum Weiterbauen so dringend nötig waren. Hornig war ein gewandter und gebildeter Mann, der Ludwig überallhin begleitet hatte. Auch hatte er viel unter Ludwigs Halluzinationen zu leiden, der plötzlich ein Messer in seiner Hand zu sehen glaubte oder einen Schuß zu hören vermeinte. Hornig sprach wenig darüber, doch bestätigte er Ludwigs Wutausbrüche, die sich mit Schimpfworten, Drohreden und Ohrfeigen über Lakaien entluden.

Maurischer Saal im Jagdschloß auf dem Schachen.

Fritz Schwegler, Vorreiter seiner Majestät.

Stallmeister Richard Hornig

Denkmal des Königtums:
Schloß Herrenchiemsee

1873 hatte Ludwig die Herreninsel im Chiemsee gekauft, um ihren Waldbestand vor Holzspekulanten zu retten, und fünf Jahre später begann er dort den Bau zu seinem »Versailles«. Um alles zu überwachen, logierte er im Alten Schloß (dem Kloster), und damit er auch von seinem Fenster aus die Arbeit verfolgen konnte, schlug man eine breite Gasse durch den Wald. Das heißt: Alle Baumwipfel wurden in einer bestimmten Höhe gekappt, so daß er mit dem Fernglas freie Sicht zur Baustelle hatte. Hofrat Düfflipp *(nebenstehend)* aber, dem Verwalter der Kabinettskasse, genügte die Aussicht auf neue Schulden – er demissionierte.

Das Zimmer, von dem aus Ludwig II. den Bau seines Schlosses beobachtete, ist die Geburtsstätte unserer heutigen Verfassung.

Das Wittelsbacher-Jubiläum

Zur 700jährigen Herrschaft des Hauses Wittelsbach, 1880, gab die Gebirgsschützenkompanie des Isarwinkels den Auftakt, mit einem Salut am Grabe der Hingemetzelten in der Sendlinger Mordweihnacht von 1705 *(unten)*. Mit dem legendären Schmidbalthes von Kochel *(links, Gemälde von Defregger)* hatten 800 aufständige Bauern München von der Pandurenherrschaft zu befreien versucht. Die 700-Jahr-Feier ließ mit Stolz den Begriff »Altbayern« aufleben.

Rechts: Ein sinnfälliges Gedenkblatt des »Sulzbacher Kalenders«.

Otto v. Wittelsbach

Friedrich Barbarossa

„Ich weiß mich eins mit meinem treuen Volke,"
Dieß schöne Wort, das Bayerns König sprach,
Es zittert, — wie der Schein der Morgenwolke
Im Lenzlaub, — noch in allen Herzen nach
Dieß Wort erst gab die volle, rechte Weihe
Den Tagen, die so festlich hingerauscht,·
Wo Lieb' um Lieb', wo Treue gegen Treue
Ein ruhmreich Herrscherhaus und Volk getauscht.

Ja, was im Lauf von siebenhundert Jahren
Als felsenfester Bund sich hat erprobt,
Ob wilde Wetterstürme und Gefahren
In böser Zeit ihn auch gar oft umtobt;
Das darf die Mit=, das darf die Nachwelt feiern,
Das, — mögen auch im Wechsellauf der Zeit
Geschlechter um Geschlechter sich erneuern, —
Das wird besteh'n in Ehren hoch gefeit.

D'rum töne, Harfe, tön' in Jubelweise,
— Sind auch auf unsern Bergen schon verglüht
Die Freudenfeuer, — tön' zu Ruhm und Preise
Dem Jubelfeste noch ein Weihelied:
„So lang im Alpschnee und in Himmels Bläue
„Der Heimath Farben uns entgegen seh'n,
„So lange wird des Bayernvolkes Treue
„Zum Hause Wittelsbach nicht untergeh'n!

Ernst von Destouches.

1180-1880.

Gedenkblatt
für die Feier des siebenhundertjährigen Regierungs=Jubiläums des Hauses Wittelsbach.

Im Duft von hunderttausend Rosen

Elisabeth, Tochter des Herzogs Max, Kaiserin von Österreich *(linke Seite)*, wäre ohne den Habsburger Reif am Finger als »dämonische Frau« bezeichnet worden. Sie war eine tollkühne, blendende Reiterin, die ihre Tiere mitleidlos zuschanden ritt. Sie konnte kalt und verächtlich sein, aber 1866 hatte sie hingebungsvoll Schwerverwundete gepflegt. Kaiser Franz Joseph wurde mit dem Geheimnis ihrer Seele nicht fertig, sie lebte in einem Traumreich gleich Ludwig und war weltfremd wie er – 46 000 Gulden verbrauchte sie monatlich, wenn sie auf Reisen war.

Die schwärmerische Freundschaft zwischen Elisabeth und Ludwig – der »Taube« und dem »Adler«, wie sie sich nannten – hat über zwei Jahrzehnte lang gedauert. Inmitten der Roseninsel im Starnberger See steht ein kleines Landhaus *(unten links)*, und wenn Elisabeth im elterlichen Schloß Possenhofen *(oben)* weilte, dann trafen sie sich beide in diesem kleinen Paradies. Dort waren sie stets allein – alles, was von ihren Zusammenkünften erzählt wird, ist erfunden. Viele Jahre später behauptete in Amerika eine Gräfin Zanardi-Landi, ein Kind Ludwigs und der Kaiserin Elisabeth zu sein. Doch wurde sie als dreiste Schwätzerin entlarvt, allein nach den Daten konnte ihre Mär nicht stimmen.

Im Studierzimmer des Landhauses steht ein Schreibtisch (im Bild rechts) mit einem Geheimfach, in das sie Briefe legten, wenn eine persönliche Begegnung nicht möglich war. Nach Ludwigs Tod fand man dort einen ungeöffneten Brief, mit der Aufschrift »Die Taube an den Adler«.

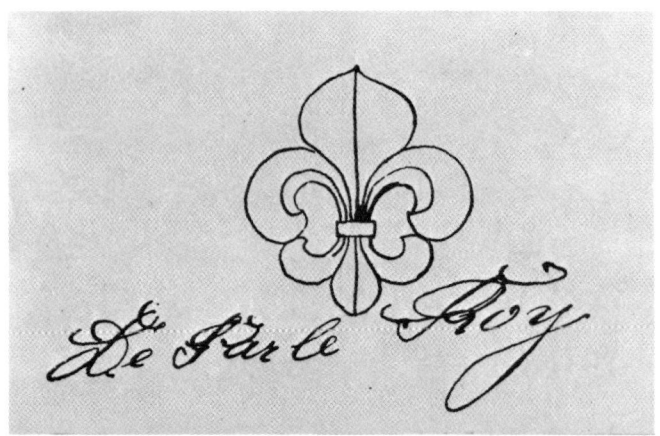

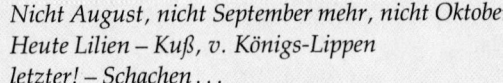

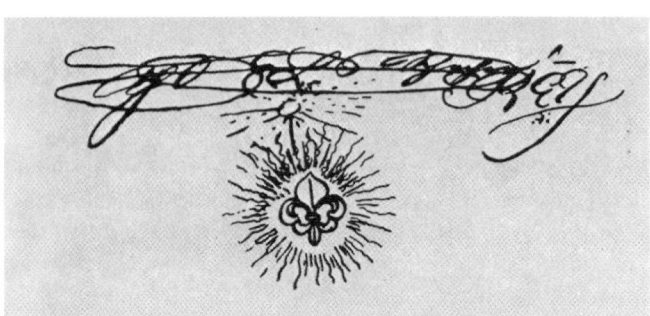

Die nachstehenden Zeilen sind authentische Eintragungen Ludwigs II. in sein Tagebuch. Die Sätze sind sehr häufig nicht zu Ende geführt und brechen einfach ab – um so mehr gleichen sie mystischen Formeln und Beschwörungen...

Nicht August, nicht September mehr, nicht Oktober
Heute Lilien – Kuß, v. Königs-Lippen
letzter! – Schachen...

Doch in dem Herzen deines Volkes wird's
Wie Oel im Feuer, entzünden eine Brunst,
Die all' des Feindes Werk verzehrt zu Asche.
Doch Frankreichs schwere Wunden wird es heilen
Der Oelzweig in dem Mund der Taube sein,
Weissagend uns ein selig Friedensjahr. –
Du selber wirst alsbald ein andrer Mann
Denn siehe, eh' dies Oel dein Haupt dir netzt...

Heiliger, nie zu brechender Schwur in der
Neujahrsnacht 1873! –
Ich schwöre und gelobe auf das Feierlichste,
bei dem heiligen, reinen Zeichen der
Königlichen Lilien...

Das Tagebuch des Königs

Diese überhaus seltenen Dokumente auf beiden Seiten sind authentische Tagebuchnotizen Ludwigs II. Fast immer sind sie in französischer Sprache gehalten. Er unterzeichnet sie auch oft mit »Louis«, wie die Wiedergabe *auf der rechten Seite* zeigt. Die Übersetzung dieser dreifach gesiegelten Eintragung lautet: »Das Martyrium des heiligen Königs Louis XVI. stärke mich und gebe mir die Macht, das Böse zu besiegen. Daß Gott mir helfe.« Immer wieder zeichnet Ludwig auch die Bourbonen-Lilie hin *(oben)*, das Sinnbild jungfräulicher Reinheit und gottgegebener Macht. Es kommt auch vor, daß er seine Eintragung in spanischer Sprache unterzeichnet, mit einem »Yo El Rey« *(oben Mitte)*. Manches ist unleserlich, bleibt Fragment, stellenweise bricht eine leidenschaftliche Naturliebe durch. Dann notiert er die Romantik seiner Schlittenfahrten: »Bei magischem Mondschein durch den düsteren schneebedeckten Tannenwald.« Aber das bleibt unwesentlich gegenüber den seelischen Konflikten, die sich aus tiefsten Depressionen und einem – vergeblichen – Streben nach idealer Reinheit ergaben. Abgerissene Sätze, mystische Wortfetzen ringen nach Kraft. Vielfach hat man diese Notizen als »Wahnsinn im Purpur« bezeichnet – ohne zu bedenken, daß Ludwig von jeher dazu neigte, seine Gefühle ins Überschwengliche zu steigern und in pathetische Sätze zu kleiden. Aber es gehörte auch zur Tradition der regierenden Wittelsbacher, allabendlich Gewissenserforschung zu betreiben, um für den kommenden Tag gerüstet zu sein. Ludwig II. hat, in seinem unersättlichen Drang nach Wahrheit, den Blättern auch seine letzten und intimsten Geheimnisse anvertraut. In seinem Todesjahr begann er ein zweites Tagebuch, doch sind aus beiden nur wenige Seiten bekanntgeworden. Bestimmt hat er nicht nur selbstquälerische Bekenntnisse abgelegt. Seine dunklen und immer hemmungsloseren Pläne, Geld herbeizuschaffen, Geld um jeden Preis, um weiterbauen zu können – sie haben sicher hier ihren Niederschlag gefunden, wie auch die erbitterte Enttäuschung über alles vergebliche Bemühen.

du martyr du saint Roÿ Louis

me fortifie dans mes

et me donne la puissance à vaincre XVI

le mal.—

Louis

donné à Hohenschwangau

le 21. janvier 1881.

que Dieu vienne à mon aide —

Josef Kainz – letzter Gruß der Jugend

»Die Separatvorstellung ist im vollen Gange, plötzlich ein Signal des Königs und der Regenapparat öffnet sich! Wassermassen prasseln auf Dekoration und Kostüme, aber alles muß weiterspielen… und da endlich ertönt aus der Königsloge beifälliges Klatschen.« – Diese erfundene Schilderung stammt von dem amerikanischen Humoristen Mark Twain, und im vollen Ernst wurde sie von der Weltpresse nachgedruckt. In Wahrheit jedoch waren die Separatvorstellungen auch für die auftretenden Schauspieler ein großes Erlebnis. Ihr einziger Zuschauer ließ es überdies nie an Auszeichnungen fehlen, und der dreiundzwanzigjährige Kainz wurde schon bei seinem ersten Auftreten beschenkt.

»Also Servus, mehr als hing'richt kann i net werden!« Mit diesem Ruf verabschiedet sich der blutjunge Josef Kainz am 3. Juli 1881 in München von seiner Mutter, um als Gast des Königs nach Linderhof zu fahren. Nach einer Separatvorstellung hatte er Kainz mit einem Saphirring die Einladung überbringen lassen, ist in Linderhof aber von ihm enttäuscht

und will ihn sogar wieder nach Hause schicken. Hofrat Bürkel jedoch gibt Kainz den Rat, sein Theaterpathos aufzunehmen – und alles ist in Ordnung. Ende Juni nimmt ihn Ludwig dann mit in die Schweiz, zum Vierwaldstätter See. Zwar reist der König inkognito, doch wird er überall sofort erkannt und begeistert begrüßt, bis man endlich in der Villa Gutenberg beim Mythenstein eine ungestörte Unterkunft findet. Jeden Abend wird der Rütli besucht, und es ist an Kainz, Schillers Verse aus dem »Tell« zu deklamieren. Einmal stehen sie erst um zwei Uhr morgens auf der geweihten Bergwiese, und wieder soll er die Melchthal-Szenen sprechen – da kann er nicht mehr, bricht den Vortrag vor Müdigkeit ab. Zutiefst gekränkt kehrt der König allein zurück. Sie sehen sich erst in Luzern wieder. Ludwig sagt ein verzichtendes: »Es ist schon gut…« und läßt sich mit ihm photographieren (links). Sie wirken armselig und erschreckend zugleich. Das ist der König? Ein Enttäuschter starrt ins Leere, ein Gepeinigter, der an einer Leidenschaft gescheitert ist, die er verbergen will. Den jungen Mann neben sich hat er auf einer Dampferfahrt zum Rütli mit seinem eigenen Radmantel zugedeckt und liebevoll seinen Schlaf bewacht, um hernach leichthin zu sagen: »Sie haben aber schön geschnarcht.« Übernächtigt blickt uns dieser Josef Kainz aus dem Photo entgegen, verdrossen wartet er auf das Ende der Reise, um endlich einmal ausschlafen zu können. Der König will ihn nicht mehr sehen, doch als er sogar eine Separatvorstellung absagen läßt, in der Kainz auftreten soll, schickt ihm dieser ein Geschenk zurück, ein Bild mit dem Vierwaldstätter See. Das imponiert Ludwig zwar, doch zu einer eigentlichen Versöhnung ist es nicht gekommen.

Für diese Schweizer Reise hatte Ludwig der Polizeidirektion befohlen, Pässe für sich und Kainz auf die Namen »Marquis de Saverny« und »Didier« auszustellen. Das sind zwei Gestalten aus dem Drama Victor Hugos »Marion de Lorme«, Kainz hatte in einer Separatvorstellung den »Didier« gespielt.

Rechte Seite, oben: Gartenansicht mit Westfassade von Herrenchiemsee.

Rechte Seite, unten: Die Große Spiegelgalerie. 33 Glaslüster mit zusammen 1188 Wachskerzen, ferner 44 Standleuchter mit zusammen 660 Kerzen – sie alle wurden für den König angezündet, der einsam unter ihnen auf und ab stampfte.

Das »Versenktischchen« (unten) ist eine Erfindung des französischen Hofmechanikers Loriot zu Ludwigs XV. ausschweifenden Gelagen, bei denen die Dienerschaft unerwünscht war. Ludwig II. ließ das »Tischlein-deck-dich«, wie es der Volksmund nannte, nachbauen, weil er mit seinen Träumen allein sein und keinen Diener sehen wollte.

Schloß Herrenchiemsee

Noch im Rohbau wurde 1881 mit der Innenausstattung begonnen. Die Planung hatte Hofbaudirektor Georg Dollmann, Schöpfer des verschwenderischen Dekors, und späterer Gesamtleiter war der vielgewandte Architekt J. Hoffmann. Schloß Herrenchiemsee ist eine einzige Huldigung an Frankreichs »Sonnenkönig« Louis XIV. Ein zweites »Versailles« entstand, und mit den Wandbildern, dem Stuck, der gesamten Möblierung und allem Zierat, blühte in München eine Dekorationskunst samt Kunstgewerbe auf, deren Rausch an Phantasie (und Irrtümern) noch ins 20. Jahrhundert leuchten sollte. Im Porzellankabinett befindet sich an der Eingangstür auf einem Porzellangemälde (oben) im winzigen Medaillon das »einzige« Porträt Ludwigs der gesamten Schloßausstattung. Im Keller steht der eiserne Aufzug für das »Tischlein-deck-dich« (rechts), das es hier wie im Schloß Linderhof gab. Nur ein einziges Mal, vom 7. bis 16. September 1885, hat Ludwig hier gewohnt.

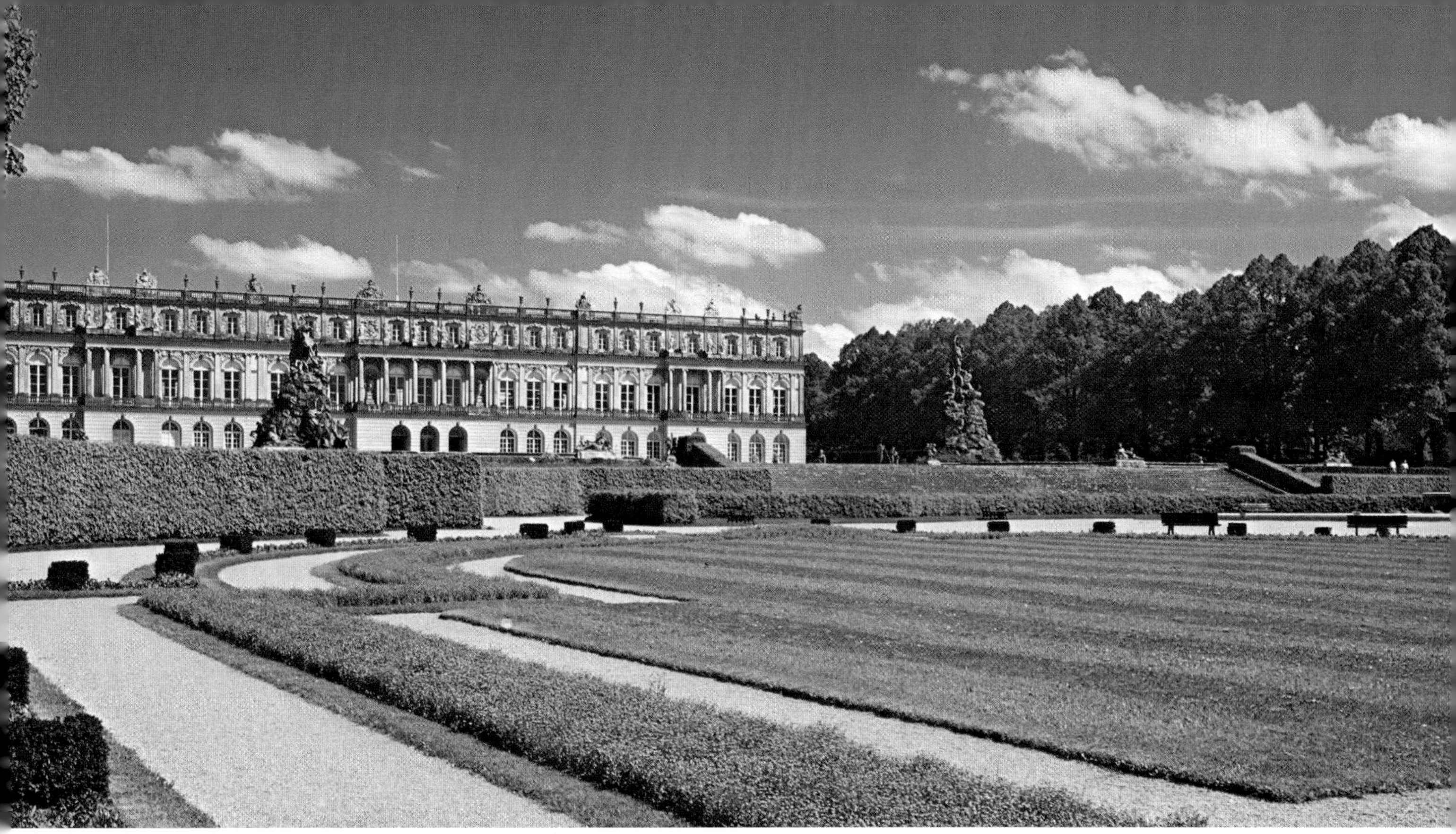

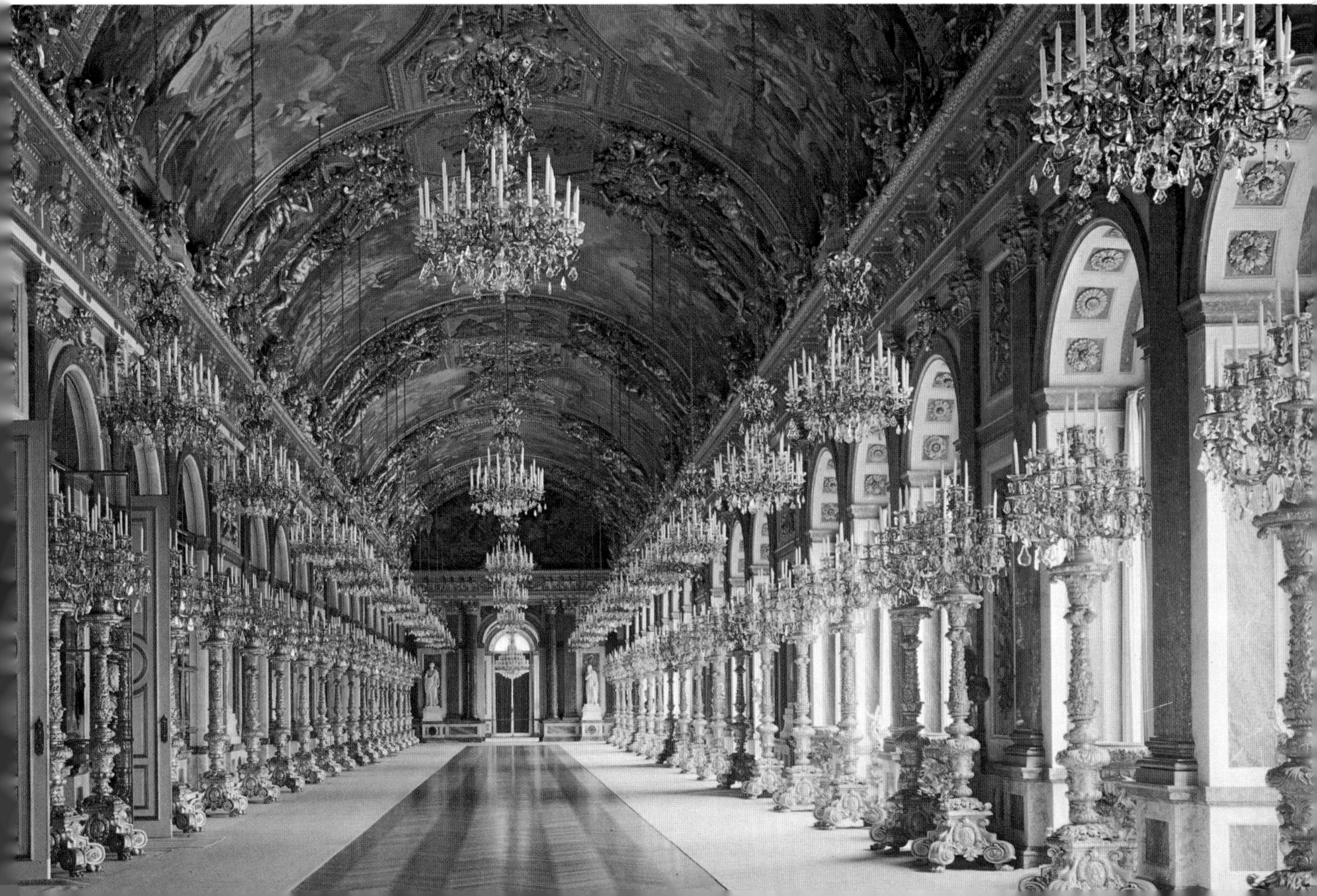

Richard Wagner stirbt in der Lagunenstadt

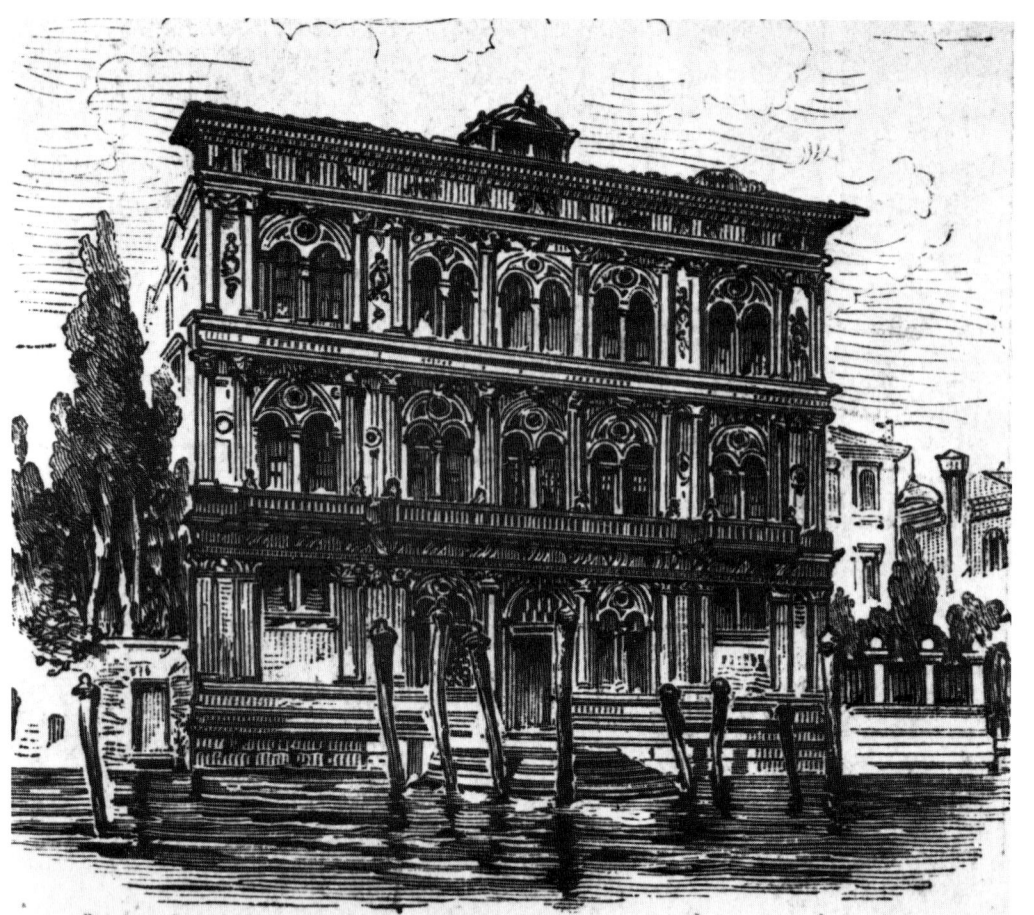

Links: Richard Wagners Sterbehaus, der Palazzo Vendramin in Venedig. An seinem Todestag sollte wie gewöhnlich um drei Uhr nachmittags gegessen werden. Der treue Gondoliere Luigi brachte die Suppe, als sich Wagner plötzlich erhob und mit dem Ausruf: »Mir ist sehr schlecht!« bewußtlos zu Boden stürzte. Als der Hausarzt Dr. Kepler kam, konnte er nur noch den Tod feststellen.

Unten: Eine der letzten Aufnahmen des Tondichters.

Am Fastnachtsdienstag 1883 mietet Wagner ein Zimmer auf dem Markusplatz, um den venezianischen Karneval zu sehen. Am Aschermittwoch läßt er sich mit der Gondel auf die Toteninsel San Michele fahren. Noch vor der Landung erleidet er einen Herzkrampf, Frau Cosima und der Gondoliere tragen ihn in die kleine Friedhofskirche, wo er das Bewußtsein wiedererlangt. Er stirbt vier Tage später.

»Die Leiche gehört mir!« schreit Ludwig auf, als ihm Hofrat Bürkel eröffnen muß, daß sein vergötterter Spielmann am 13. Februar in Venedig verschieden ist. Aber bei der Beerdigung reicht seine Kraft nur mehr aus, einen Adjutanten zu schicken. Venedig bereitet dem Dahingegangenen ein fürstliches Trauergeleite, und als sich nach der Überführung in Wahnfried-Bayreuth die Kränze zu Bergen türmen, ist auch ein letzter Gruß Ludwigs dabei: »Dem Dichter in Wort und Ton, dem Meister Richard Wagner von König Ludwig II. von Bayern.« Nüchterne Worte, die nichts mehr von dem Überschwang der Jugendzeit ahnen lassen. Mit seinem Tod aber bahnt sich bereits die Erfüllung jener stolzen Prophezeiung an, die Ludwig am 4. August 1865 in einem Brief an Wagner in diese Worte gekleidet hatte: »Wenn wir beide längst nicht mehr sind, wird unser Werk der Nachwelt als leuchtendes Vorbild dienen. Es wird Jahrhunderte entzükken, und die Herzen werden glühen vor Begeisterung für die Kunst, die von Gott stammt und ewig ist.«

Trauer in Venedig –
Tränen in Bayreuth

Oben: Trauerzug mit der einbalsamierten Leiche, vom Bahnhof in Bayreuth zur Villa Wahnfried, am 16. Februar 1883.

Rechts: »Der letzte Abschied«, Cosima verharrt am Grabe.

Unter tyrannischem Joch

»Um nichts in der Welt möchte ich mein eigener Kabinettschef sein«, gestand Ludwig einmal in einer offenherzigen Stunde – und während seiner Regierungszeit hat er acht pflichtgetreuen Herren in dieser Position das Leben sauer gemacht. Nach Pfistermeister, nach Neumayr, Lutz und Lipowsky folgte August von Eisenhart *(unten)*, ein Mann, dem es von vornherein nicht gegeben war, Ludwig zu gefallen. Immerhin hält er sich sechs Jahre, bis er am 11. Mai 1876 brüsk entlassen wird. »Ich begreife nicht, wie ich das dumme Gesicht so lange um mich sehen konnte!« ist Ludwigs Erklärung dazu – und dabei hatte sich Eisenhart wahrhaftig durch Diensteifer und noch größere Bescheidenheit ausgezeichnet. Als ihm Seine Majestät 1871 das Komturkreuz des Kronenordens verlieh, schien es ihm sogar vermessen, diese äußerst seltene Auszeichnung anzunehmen und bat untertänigst um einen niedrigeren Ordensgrad – gewiß ein einmaliger Fall. Mit seinem Nachfolger Friedrich von Ziegler *(oben rechts)* kommt eine musische Natur in des Königs allernächste Nähe. Und wenn er ihn anfangs nur in »Ermangelung eines besseren« akzeptiert hat, so bietet er ihm in der Folgezeit das »Du« an. Der kluge Ziegler macht wohlweislich nie davon Gebrauch, obwohl er unendlich huldvolle Briefe und einmal ein langes Gedicht aus königlicher Hand erhält, das seine Fähigkeit preist. Auf jedem Kabinettschef Ludwigs ruhte eine enorme Arbeitslast, auch Ziegler mußte das erfahren. Da der König nie einen Minister sehen will, ist

er sein einziges Sprachrohr und muß andernteils bei ihm die Unterschrift aller Ministerberichte und Anträge erreichen. Doch wird er auch körperlich überbeansprucht. Seine stundenlangen Referate hat er nur stehend zu halten, und einmal zwingt ihn der König, dabei auf die blendend gleißende Fläche des Starnberger Sees hinauszusehen. Ein andermal bedroht er ihn mit einem Revolver, um nachher, als Ziegler unbeirrt bleibt, kopfschüttelnd zu sagen: »Sehen Sie nur, was es heute alles gibt, Thermometer in Form von Revolvern.« Da Ziegler eine schöne Handschrift hat, muß er auch lange Berichte abschreiben und betreut schließlich noch die Liebhabereien Ludwigs, Bauten, Lektüre, Theater. Oft genug wird er auch in später Nacht bis in den grauen Morgen hinein zu Vorträgen befohlen, bis er 1880 seine Dienstwohnung in der Residenz aufgeben darf und eine Stadtwohnung bezieht. Wenn der König nachts Lakaien losschickt, gehen sie gar nicht hin und melden einfach, daß im Hause Ziegler ein bissiger Hund jedes Eintreten unmöglich mache. Sonderbarerweise gibt sich der König mit dieser Lüge zufrieden. Zieglers Kraft ist in knapp drei Jahren erschöpft, und nach einem Entlassungsgesuch vom 6. September 1879 bekommt er auf Grund eines ärztlichen Attestes endlich Urlaub. Im Mai 1880 erzwingt der König seine Rückkehr, doch gibt es keine Briefe und keine Freundschaft mehr. Die Beziehungen werden immer kühler, sie geraten sogar scharf aneinander, und der lebensfrische Mann, der alles andere als ein Bürokrat ist, hat sich nach einem weiteren Jahr endgültig verausgabt. Der treue Diener geht. Andere kommen... noch eine Weile – und dann werden Staatsgeschäfte nur mehr über Lakaien vermittelt.

1864

Wandlungen
der Zeichen und Bilder

Stumme und doch beredte Zeugen einer unaufhaltsamen
Entwicklung sind die Schnörkel in der ständig sich verän-
dernden Unterschrift Ludwigs. Die drei hier vereinten Beispiele umfassen einen Zeitraum von zwei Jahrzehnten,
nicht minder eindringlich aber sind die Porträts des Königs
aus jeweils derselben Epoche. Die Jahre haben ihre Spuren
hinterlassen. Breitschultrig und korpulent ist 1874 die Jüng-
lingsgestalt von 1864 geworden, die schwärmerischen Augen haben sich zu einem gebieterischen Blick gewandelt,
und Schwermut liegt über dem Gesicht. So hat ihn ein Jahr
später, 1875, bei einer Truppenschau das bayerische Volk
gesehen, und es hat ihm zugejubelt wie einst. 1886 endlich
hat ihn die Einsamkeit gezeichnet, lastet die Ahnung kommenden Unheils auf ihm.

1874

Das Ende naht. Seit dem frühen März 1886 nahmen in München die Schritte zur Entmündigung Ludwigs immer ernstere Formen an. Im Mai des Jahres begegnete der Historiker Otto Gerold dem König persönlich. Er fand seine Gestalt »schwerfällig«, das Gesicht »gedunsen«, und fügte hinzu: »...dennoch trug seine ganze Persönlichkeit nach wie vor den Stempel des Ungewöhnlichen, es war unbezwingbar etwas in ihm, das den Herrscher kündete.«

1886

Obermedizinalrat Dr. von Gudden, Direktor der Kreisirrenanstalt und Professor der Psychiatrie in München.

Freiherr Freyschlag von Freyenstein, Adjutant und Berater des Prinzen Luitpold. Über ihn führt der Weg des Ministerpräsidenten Lutz zu Luitpold, Ludwigs Oheim. Es geht um die Entthronung des Königs, und Lutz mischt kräftig mit. Welche Gründe bewegen ihn und das Ministerium dazu?

»Majestät sind seelengestört«

»Seine Majestät sind in sehr weit vorgeschrittenem Grade seelengestört, und zwar leiden Allerhöchstdieselben an jener Form von Geistesgestörtheit, die von den Irrenärzten aus Erfahrung wohl bekannt mit dem Namen Paranoia (Verrücktheit) bezeichnet wird.« Das ist der erste Punkt eines Gutachtens, in dem Ludwig II. als unheilbar und regierungsunfähig für sein ganzes Leben erklärt wird. Am 8. Juni 1886 wird es von Dr. von Gudden und den Irrenanstaltsdirektoren Dr. Hagen, Dr. Hubrich und Universitätsprofessor Dr. Grashey unterzeichnet – und damit ist das Urteil gegen Ludwig gesprochen. Keiner der Ärzte hat ihn beobachtet oder untersucht. Das »belastende Beweismaterial« besteht aus Lakaienaussagen und Notizen des Königs, die auf Geheiß von ihnen gesammelt sind. Ludwigs letzter Kabinettssekretär Schneider hat ebenfalls »gesammelt«, und zwar rund 300 Botschaften, die Ludwig in den letzten drei Jahren durch Bedienstete ins Kabinett senden ließ – und keiner dieser Befehle zeigt Spuren einer geistigen Störung. Schneider wartet auf seine Vernehmung, aber man hält sie für unnötig... Kaum hat Dr. von Gudden sein Gutachten abgeliefert, wird eine Staatskommission gebildet, die tags darauf, am 9. Juni, bei Luitpold zur Mittagstafel geladen ist und anschließend einen Extrazug nach Oberdorf besteigt. Graf Holnstein, der Ludwig abtrünnig geworden ist, hält dort schnelle Hofwagen bereit – und die Herren treffen gegen Mitternacht in Hohenschwangau ein.

Ministerpräsident Freiherr von Lutz, von seinem König geadelt, erscheint als die treibende Kraft in dem Entmündigungsverfahren.

Das Schicksal des Prinzen Otto droht

Erschütternde Dokumente sind diese beiden Photos, die den kranken Otto in der Mitte von Pflegern zeigen. Im *Bild oben*, links am Rand, steht Dr. Franz Carl Müller, den Gudden als Assistenten mit nach Hohenschwangau genommen hat. Prinz Otto lebt nunmehr seit zehn Jahren in strikter Isolierung im Schloß Fürstenried. Längst nicht mehr suchen ihn jene Erregungszustände heim, die einmal nur sein Bruder Ludwig zu beruhigen vermochte. In Stumpfheit lebt er seitdem dahin, ein hilfloses Wrack. Und jetzt sind in Begleitung hoher Staatsbeamter zwei Irrenärzte mit vier unerbittlich zupackenden Pflegern unterwegs – zum König!

Dramatische Stunden in Schwangau

Tief unter Schloß Neuschwanstein *(unten: Blick vom Söller des Thronsaals)*, im fahlen Licht eines unheilvollen Wolkenhimmels, liegt in der Nacht zum 10. Juni 1886 das Land. Die »Fangkommission« hat sich im alten Schloß Hohenschwangau einquartiert. Ihr Leiter ist Staatsminister Freiherr Krafft von Crailsheim *(rechts)*, mit ihm sind: Reichsrat Graf von Törring-Jettenbach, Legationsrat Dr. Rumpler und der hochgewachsene Freiherr von Washington, Vertrauensmann des Prinzen Luitpold und als zukünftiger »Begleiter« des Königs ausersehen. Ferner ist Graf Holnstein dabei – eine fatale Wahl, doch erhofft man sich von seiner Derbheit Rückenstärkung. Hauptperson aber ist Dr. von Gudden, der seinen Assistenten Dr. Müller und vier stämmige Pfleger mitgebracht hat. »Souper de Sa Majesté le Roi« steht auf der Speisekarte mit sieben Gängen, die den Staatsdienern vorgelegt wird, und sie stärken sich ausgiebig. Getrunken werden dazu vierzig Maß Bier und zehn Flaschen Champagner.

Dr. von Gudden bespricht noch einmal, was am kommenden Morgen zu tun ist. Im Grunde erscheint alles ganz einfach: Man wird vor den König hintreten, und... und... ja, wer will denn das eigentlich als erster tun? »Ich!« meldet sich Graf Holnstein. »Ich geniere mich nicht, ich gehe geradewegs hinein!« Sein Ton berührt unangenehm, aber er gibt sich weiterhin schneidig. Als im Hof Pferdegetrappel laut wird, stürzt er hinaus. Ludwigs Leibkutscher Osterholzer

Ein nervöser Staatsminister: Freiherr Krafft von Crailsheim. Er trägt ein Schreiben von Ludwigs Oheim, dem Prinzen Luitpold, bei sich, wird aber keine Gelegenheit haben, es abzugeben.

erklärt ihm, er sei vom König zur Nachtfahrt befohlen. Da schreit Holnstein ihn an: »Ausspannen! Der König hat überhaupt nichts mehr zu befehlen!« War schon die Ankunft der Herren seltsam, jetzt weiß der treue Osterholzer genug. Hat ihm überdies nicht Burgwart Schramm gesagt, die Gesellschaft hätte vier Irrenwärter mitgebracht? Außer sich vor Schrecken hastet er auf einem Waldweg nach Neuschwanstein hoch. Der König macht sich eben zur Ausfahrt zurecht – und er stürzt ihm zu Füßen, stammelt seinen Bericht und beschwört den Monarchen zu fliehen. Kammerdiener Weber ist sofort bereit, mitzumachen. Aber Ludwig lehnt ab. Warum soll er fliehen? Wenn Gefahr bestünde, hätte ihn doch Hesselschwerdt, den er nach München schickte, gewarnt. Stallmeister Hesselschwerdt, das ist seit langer Zeit sein Vertrauter, über den er mit dem Ministerium verkehrt – gerade er aber hat ihn verraten und ist, gleich dem Kammerdiener Mayr, zum Hauptbelastungszeugen gegen ihn ge-

Ein zwielichtiger Herr: Graf Holnstein. Obwohl er früher ein enger Vertrauter Ludwigs war und ständig in seiner Nähe weilte, nahm er an dieser Aktion teil.

Eine furchtlose Dame: Baronin Truchseß mit ihrem Schirmchen, das sie im Getümmel gleich einer Damaszenerklinge schwang, um in die Burg zu kommen.

worden. Immerhin gibt Ludwig den Befehl, das Schloß abzusperren. Als die Herren gegen vier Uhr früh ankommen, werden sie von Gendarmen mit erhobenen, schußbereiten Gewehren empfangen. Es ist kalt und regnerisch, durch tiefhängende Nebelschwaden tauchen die Feuerwehren der umliegenden Ortschaften auf. Gendarmerie und Gebirgsjäger haben den ganzen Schwangau alarmiert, und von überallher rücken die Bauern an, ihren König zu schützen. Vergebens zeigen die Herren ihre schriftlichen Vollmachten. »Wir kennen nur einen Befehl, und der kommt vom König«, erklärt Wachtmeister Heinze, und als die Kommission zum Schloßtor drängt, schreit er: »Keinen Schritt weiter, oder ich gebe Feuer!« Gewaltsam wird das Trüppchen zurückgedrängt, dabei trifft ein Kolbenstoß einen der Pfleger, dem entfällt ein Fläschchen, und in der Morgenkälte verbreitet sich ein süßlicher Geruch von Chloroform. Gleichzeitig erhebt sich eine schrille Frauenstimme. Baronin Truchseß, vor

kurzem aus einer Nervenheilanstalt entlassen, will ihren König schützen. Unbemerkt ist sie heraufgekommen, zeternd und schirmschwingend greift sie nun ein. Ein Augenzeuge berichtet: »Die Baronin kannte von München her die Herren der Kommission persönlich und überschüttete sie mit den heftigsten Vorwürfen wegen ihrer illoyalen Handlungsweise. ›Minister von Crailsheim‹, rief sie, ›nie wieder spiele ich mit Ihnen Klavier! Graf Törring, Ihre Kinder müssen sich ja dereinst Ihrer schämen!‹ Dazwischen forderte sie alle auf, in ein Hoch auf den König einzustimmen und erzwang sich, wild mit dem Schirm fuchtelnd, den Eintritt ins Schloß. ›Muß das Malefizweib auch gerade jetzt daherkommen!‹ fluchte Graf Holnstein...« Böse Blicke, drohende Rufe treffen ihn und die übrigen Herren, unrühmlich treten sie den Rückzug an. Wieder in München, wird das Fiasko offiziell als »unwesentlich« erklärt – aber die Episode verbreitet sich mit Windeseile in ganz Bayern.

»Verhaften!« befiehlt Ludwig, als ihm die Mitglieder der Kommission genannt werden. Jeder Name, insbesondere der des Grafen Holnstein, ruft neuen Zornausbruch bei ihm hervor, und besinnungslos vor Wut hetzt er seine Diener mit immer neuen Befehlen los: Die Gefangenen sollen auf die Burg gebracht werden – dann ins Verlies mit ihnen – jeden bis aufs Blut peitschen – jedem ein Auge ausstechen – die Haut abziehen... Mit mittelalterlicher Grausamkeit will

der König den Treubruch bestrafen, Raserei treibt ihn durch
die Gemächer – versunken sind die Stunden, in denen ihm
der Genius den Lorbeer reichte.

Kaum sind die Herren wieder in Schloß Hohenschwangau,
erscheint der Bezirkshauptmann Sonntag aus Füssen, um
sie zu verhaften. Chevaulegers reiten ihnen mit einem neu-
en Befehl Ludwigs entgegen: Die Gefangenen sollen mit
Ketten gefesselt werden. Da die Gendarmen jedoch keine
Ketten bei sich haben, bleibt ihnen das erspart. Ihr Weg ist
nicht ungefährlich, wie die Aufzeichnungen Dr. Müllers be-
sagen, der anschließend mit Dr. von Gudden und Baron
Washington ebenfalls verhaftet wurde: »Als wir bei der Al-
penrose [Gasthaus in Hohenschwangau] vorbeikamen,
standen dort ungefähr zwanzig sehr verdächtige Leute, denen man es ansah, daß sie gute Lust hatten, uns in Stücke
zu hauen. Oben im Schloßhof wartete eine ganze Rotte ähn-
licher Gestalten, Feuerwehrleute, Bauern, Holzknechte,
durch deren Reihen wir geradezu Spießruten laufen mußten.« Die Verhafteten kommen in den ersten Stock des Torbaus *(Bild auf der linken Seite, unterhalb des Erkers).* Vor den
Fenstern *(rechts)* sehen sie den Schloßhof mit seinen düsteren Mauern. Holnstein legt sich in Hemdsärmeln auf ein
Bett. Um sich Respekt zu verschaffen, hat er zuvor in den
Hof geschrien: »Ich wünsche sobald wie möglich ein Frühstück!« Niemand kehrt sich darum. Die Situation ist unge-
mütlich. Holnstein und Törring-Jettenbach kritzeln jeden-
falls, wie es Verurteilte tun, ihre Namen an die Wand. Die
Inschriften sind heute noch vorhanden *(unten).* Nach drei
Stunden Haft aber werden alle freigelassen. Einzeln und in
Zwischenräumen können sie sich hinausdrücken, und
wahrscheinlich verdanken sie das dem Kammerdiener
Mayr. Als die Staatsbeamten in einem Jagdwagen aus Hohenschwangau preschen, kreuzt ein Adjutant des Königs,
Graf Dürckheim, ihren Weg. Grußlos hetzt er vorbei... Die
Ärzte und Pfleger müssen sich auf eigene Faust durchschla-
gen, dazu berichtet ein Augenzeuge: »Die größte Angst um
sein Leben hat Dr. von Gudden gezeigt. Er bat den Bezirkshauptmann Sonntag, ihn in seinem Wagen bis Füssen mit-
zunehmen, weil er fürchtete, daß die gereizte Bevölkerung
ihn mißhandeln werde. Sonntag gab ihm zum Trost eine Zi-
garre und beruhigte ihn...« Die gescheiterte Kommission
trifft spät abends in München ein – und Ministerpräsident
von Lutz konferiert mit Prinz Luitpold bis ein Uhr nachts
hinter verschlossenen Türen.

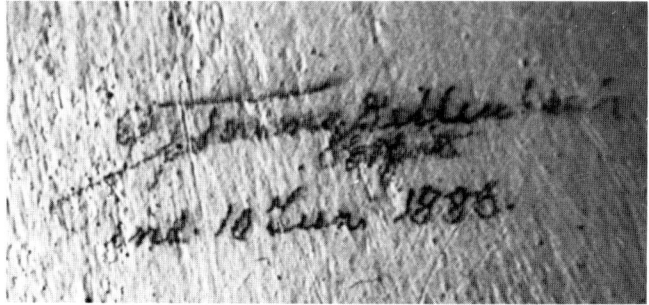

Folgende Seiten
130/131:

Links: Der Thronsaal im
Schloß Neuschwanstein,
der einzige mit byzanti-
nischen Stilelementen
gestaltete Raum.

Rechts: Schloß Neu-
schwanstein. Im Stil der
alten deutschen Ritter-
burgen 1869–1886 er-
baut. Einige Bauteile,
darunter der Viereck-
turm, sind zu Lebzeiten
Ludwigs II. unvollendet
geblieben.

Des Königs
treuer Paladin

Graf Dürckheim (*linke Seite*) war Adjutant des Prinzen Arnulf – bis er ihn 1880 zum Duell forderte, weil sich der Prinz für Dürckheims Gattin allzu lebhaft interessierte. Ludwig verbot den Zweikampf, ernannte Dürckheim zum Hauptmann und machte ihn zu seinem Flügeladjutanten. Mit diesem resoluten Offizier hat er jetzt einen unbedingt ergebenen Helfer zur Seite, doch besitzt er nicht mehr die nötige Willenskraft zum Handeln. Dürckheim will sofort mit ihm nach München, denn »jede Intrige wird zusammenbrechen, wenn das Volk den König sieht«. Baronin Truchseß, die immer noch da ist, stimmt begeistert zu und will unbedingt mitkommen. Nur mit Mühe gelingt es, die exaltierte Dame endlich fortzuführen, und dann werden einige Telegramme aufgegeben. Eins geht an Bismarck, der umgehend empfiehlt, Ludwig solle in München seine Interessen persönlich vertreten – und dies wäre für den Kanzler ein Beweis seiner Regierungsfähigkeit gewesen. Zwei Telegramme des Kriegsministeriums beordern Dürckheim nach München zurück. Ludwig läßt ihn ziehen... und erkennt damit die neue Regierung an. Sein letzter Ritter wird in der Residenzstadt noch am Bahnsteig wegen »Hochverrat« verhaftet.

Ruhelos durchwandert der König in dieser Nacht die einsam gewordene Burg. Die Gendarmerie am Burgtor ist abgelöst, das Telephon (*rechts außen*) ist gesperrt, aus der Klappe der Warmluftheizung (*rechts*), einer damals unerhörten Neuerung, kommt keine Wärme mehr – fast die gesamte Dienerschaft hat sich davongemacht.

Oben: Der Sängersaal, nach dem Vorbild des Festsaales auf der Wartburg, war bereits bei den ersten Ideen und Planungen für Neuschwanstein einbezogen.

Die Häscher
finden offene Türen

Tristan und Isolde blicken im Schlafzimmer von den Wänden herab. Die Bilder erinnern den König an den unendlich glücklichen 10. Juni von 1865, an dem Wagners »Tristan und Isolde« in München aufgeführt wurde. Auf unserem Bild ist vorn in der Mitte Ludwigs Waschtisch zu sehen, das fließende Wasser kam aus dem silbernen Schwan.

Rechte Seite: Blick auf den Wasserfall in der Pöllatschlucht, wie ihn der König von seinem Bett aus hatte.

Rechte Seite unten: Therese Lang, Frau des Dieners Vincentius Lang. Sie hat dem König als Kammerzofe auf Neuschwanstein das Bett gerichtet. In dieser Nacht blieb es unberührt...

Ein treuer Diener, der 24jährige Chevauleger Weber, ist geblieben, und ihn fragt der König unvermittelt: »Glaubst du an eine Unsterblichkeit der Seele?« – »Ja, Majestät.« – »Ich auch«, sagt der König. »Ich habe zwar verschiedene Bücher gelesen, nach denen man irre werden könnte, aber es muß eine Vergeltung geben, das, was man mir tut, kann nicht ungestraft bleiben.« Und erregt bricht es aus ihm heraus: »Daß man mich des Thrones beraubt, kann ich verschmerzen, daß man mich aber für irrsinnig erklärt, überlebe ich nicht!« Diese Sätze hat Weber berichtet, und an seiner Ehrlichkeit ist auch nicht zu zweifeln, wenn er sagt, daß ihm der König sein letztes Geld, 1200 Mark, geschenkt habe und eine der Brillantagraffen, die er auf dem Hut zu tragen pflegte. Für den Fall, daß sie von der Schatzkammer zurückgefordert würde, stellt er sogar einen vordatierten Schein auf 25 000 Mark aus. – Hastig trinkt Ludwig ungewohnte Mengen von Weißwein und Cognac, und hat er vorher vergeblich nach Gift verlangt, sagt er jetzt zu Alfons Weber, wenn

morgen der Friseur Hoppe komme, solle er seinen Kopf unten in der Pöllatschlucht suchen. Gleich darauf ruft er nach dem Kammerdiener Mayr und verlangt den Schlüssel zum hohen Turm. Der verschlagene Mayr, der auf das Wiederkommen Guddens wartet, erklärt, der Schlüssel sei verlegt, er werde ihn aber sofort suchen – und damit kann er sich dem bohrenden Blick Ludwigs wieder entziehen. Er ist der Diener, der ein Jahr lang nur mit einer schwarzen Maske vor ihm erscheinen durfte, weil der König sein Gesicht nicht sehen wollte. Mayr hat am eifrigsten belastendes Material gegen den König gesammelt und neben Hesselschwerdt die schwerwiegendsten Aussagen gemacht: Der Diener Buchner, ein einfältiger Mensch, habe ein Siegellackmal auf der Stirn tragen müssen, um darzutun, daß sein Hirn versiegelt sei. Ein anderer Lakai sollte in einem Narrengewand auf einem Esel zur Schau gestellt werden, jeder Diener aber mußte an den Türen kratzen und auf den Knien zum Gebieter rutschen, und »das Pack« der Minister sollte in Burgver-

liese wandern. (Auf keinem der Schlösser gab es ein Verlies.) Dem preußischen Kronprinzen wieder war eine Höhle zugedacht. In Ketten, bei Wasser und Brot, sollte er schmachten und winseln. Um Geld herbeizuschaffen, Geld für das Fortführen der Bauten, erging der Befehl, Banken zu berauben – und nicht von ungefähr wollte Ludwig seine neue Burg »Falkenstein« auf einem Felsennest im Stil einer »Raubritterburg« erstehen lassen. Mit der Finanznot hat im übrigen diese letzte Tragödie begonnen. Ludwig ist fieberhaft tätig gewesen, um Geld zu beschaffen und hat nichts als Absagen bekommen. Bismarck gab am 6. April 1886 einen guten Rat: Da keine Staatsgelder verschwendet sind, sondern königliche Privateinkünfte, soll der König vom Landtag die Kabinettskasse sanieren lassen. Ludwig erteilte sofort seinem Ministerium entsprechende Befehle – denen jedoch entgegengearbeitet wurde. »Wenn ich nicht mehr bauen kann, kann ich nicht mehr leben«, hatte er erklärt..., und nun sind zum zweitenmal Irrenärzte zu ihm unterwegs.

Der steinerne Drache war Zeuge

In der Nacht vom 11. zum 12. Juni um halb eins trifft Dr. von Gudden mit Dr. Müller, vier Pflegern und einem Oberpfleger in Schloß Neuschwanstein ein. Lakai Mayr erzählt in fliegender Hast, daß seine Majestät *(oben)* in größter Erregung sei und schon mehrfach nach dem Schlüssel zum Turm verlangt habe. Gudden eilt mit seinem Trupp in einen Korridor, der bei der Turmtüre und vor den Königsgemächern mündet. Im Treppenzugang, an dessen Rampe ein steinerner Drache als »Wächter des Turms« sich aufbäumt *(rechte Seite)*, werden Pfleger und Gendarmen postiert. Nun muß Mayr dem König den Turmschlüssel übergeben – und Dr. Müller kann später berichten: »Plötzlich hörten wir feste Tritte, und ein Mann von imposanter Größe stand unter der Korridortüre... von oben und unten springen die Pfleger herzu, schneiden ihm den Rückweg ab und fassen ihn an den Armen...«

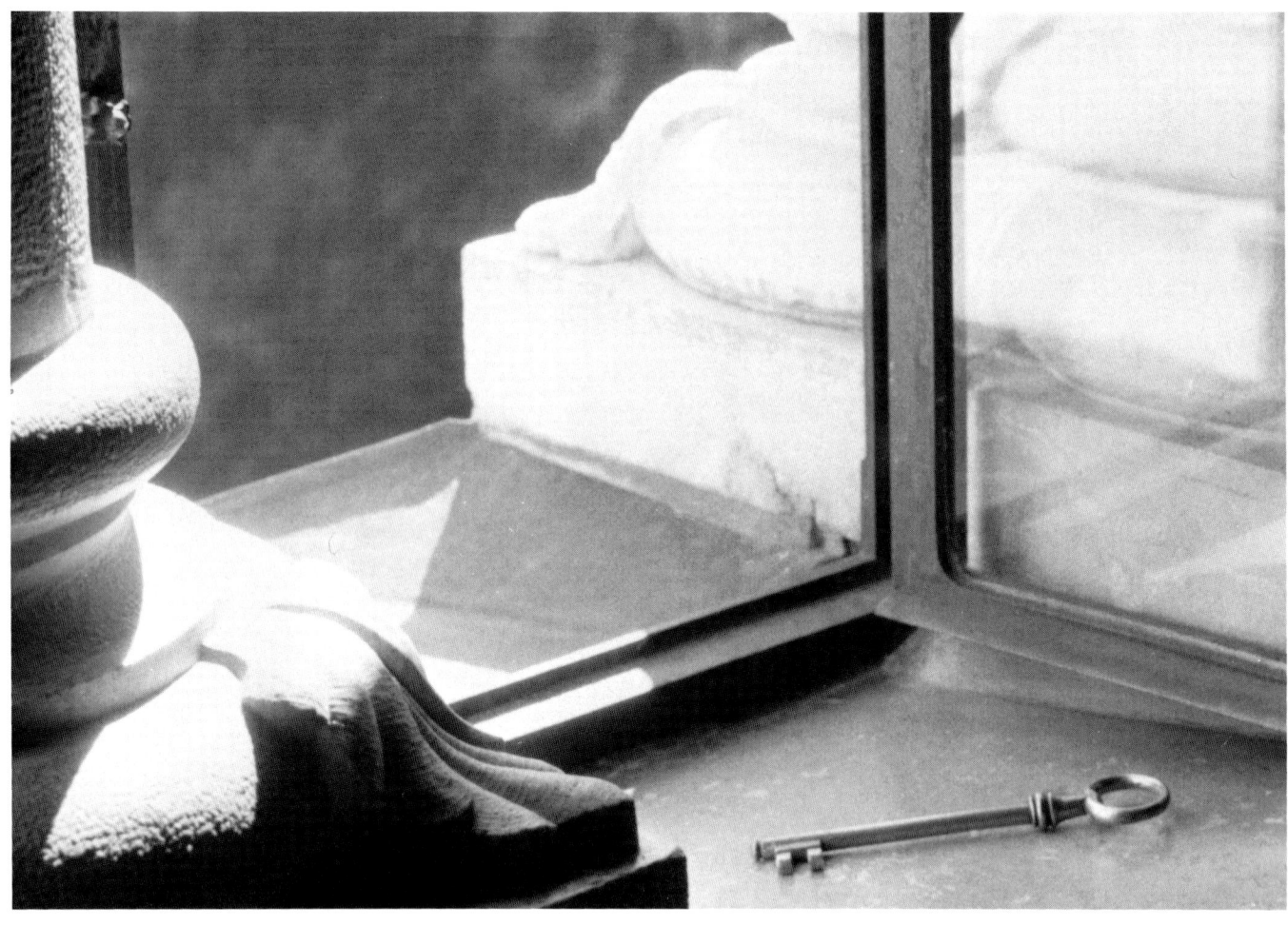

Der verweigerte Schlüssel zum Turm

Anstatt die enge Wendeltreppe des Turms *(rechte Seite)* zu besteigen, hätte der König sich auch aus einem Fenster in den Abgrund stürzen können – und deshalb glauben manche, daß er in einer Mauernische des Turms sein geheimes Tagebuch versteckt hatte und es vor unbefugtem Zugriff retten wollte. Lassen wir nun wieder Dr. Müller das Wort, der den Weitergang der düsteren Szene nach dem Zugriff der Wärter schildert: »Der König stieß bloß ein überraschtes ›Ah!‹ aus, fragte dann immer wieder: ›Ja, was soll das denn? Lassen Sie mich doch los!‹ – Dann wurde er in sein Schlafzimmer geführt und Türen und Fenster durch je einen Pfleger besetzt, so daß also ein Selbstmordversuch durch Hinausspringen unmöglich geworden war. Nun sprach Gudden (der vom Prinzen Luitpold Generalvollmacht erhalten hatte): ›Majestät, es ist die traurigste Aufgabe meines Lebens, die ich übernehmen mußte. Majestät sind von vier Irrenärzten begutachtet worden, und nach deren Ausspruch hat Prinz Luitpold die Regentschaft übernommen. Ich habe den Befehl, Majestät nach Schloß Berg zu begleiten, und zwar noch in dieser Nacht...‹ Der König, dem man anmerk-

te, wie er sich nur mühsam beherrschte, meinte endlich: ›Ja, wie können Sie mich für geisteskrank erklären, Sie haben mich ja gar nicht vorher angesehen und untersucht?‹ – ›Majestät, das war nicht mehr notwendig, das Aktenmaterial ist sehr reichhaltig und vollkommen beweisend, es ist geradezu erdrückend.‹« – Es folgte eine quälende dreieinhalbstündige Wartezeit, weil die Wagen nicht rechtzeitig kamen. Einer der Pfleger, Bruno Mauder, hat ebenfalls Aufzeichnungen hinterlassen. Er erwähnt, daß Gudden dem König gesagt habe, die Irrenärzte hätten auf Eid ihre Gutachten abgegeben. Im Anschluß daran lautet Mauders schlichter Bericht: »Majestät sagte zu Gudden, daß jetzt überhaupt viele Meineide geschworen werden, es sei ein Komplott, er kenne es schon, die Sache von Luitpold sei sehr gut arrangiert, hübsche Komödie, Luitpold sei ein Schlaumeier... Sehr ernstlich bemerkte Majestät, daß Gudden ein Preuße sei, worauf Gudden bemerkte, daß er bayerischer Staatsbürger sei, seine Kinder alle in Bayern geboren.« Tatsächlich stammte Dr. von Gudden aus Cleve, Rheinpreußen, aber er war naturalisierter Bayer.

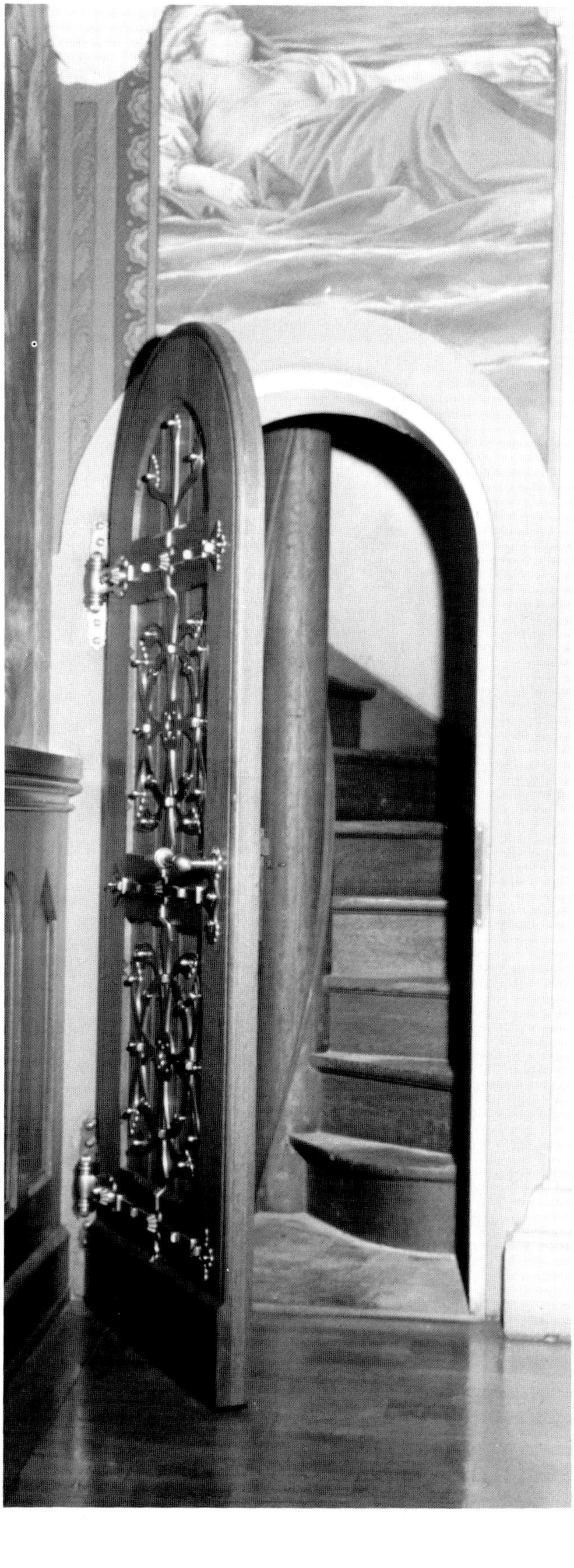
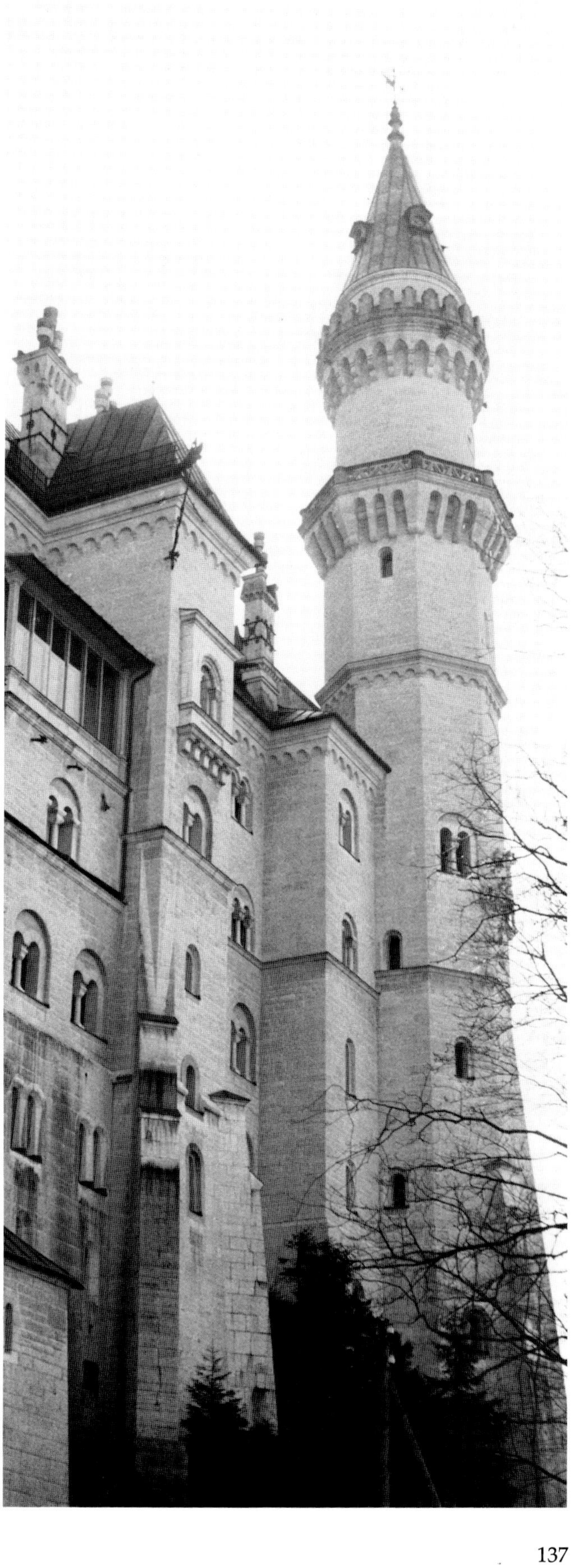

München, Donnerstag, 10. Juni. **Münchener**

Bekanntmachung, die Uebernahme der Regentschaft und die Einberufung des Landtages betr.

Im Namen Seiner Majestät des Königs.

Unser Königliches Haus und Bayerns treubewährtes Volk ist nach Gottes unerforschlichem Rathschlusse von dem erschütternden Ereignisse betroffen worden, daß Unser vielgeliebter Neffe, der allerdurchlauchtigste großmächtigste König und Herr, **Seine Majestät König Ludwig II.**, an einem schweren Leiden erkrankt sind, welches Allerhöchstdieselben an der Ausübung der Regierung auf längere Zeit im Sinne des Titels II § 11 der Verfassungs-Urkunde hindert.

Da Seine Majestät der König für diesen Fall Allerhöchst Selbst weder Vorsehung getroffen haben, noch dermalen treffen können, und da ferner über Unsern vielgeliebten Neffen, **Seine Königliche Hoheit den Prinzen Otto von Bayern**, ein schon länger andauerndes Leiden verhängt ist, welches Ihm die Uebernahme der Regentschaft unmöglich macht, so legen Uns die Bestimmungen der Verfassungsurkunde als nächstberufenem Agnaten die traurige Pflicht auf, die Reichsverwesung zu übernehmen.

Indem Wir Dieses, von dem tiefsten Schmerze ergriffen, öffentlich kund und zu wissen thun, verfügen Wir hiemit in Gemäßheit des Titels II §§ 11 und 16 der Verfassungs-Urkunde die Einberufung des Landtages auf **Dienstag den 15. Juni lfd. Js.**

Die k. Kreisregierungen werden beauftragt, sofort alle aus ihrem Kreise berufenen Abgeordneten für die zweite Kammer unter abschriftlicher Mittheilung dieser öffentlichen Ausschreibung aufzufordern, sich rechtzeitig in der Haupt- und Residenzstadt München einzufinden.

München, den 10. Juni 1886.

Luitpold
Prinz von Bayern.

Dr. Frhr. v. Lutz. Dr. v. Fäustle. Dr. v. Riedel. Frhr. v. Crailsheim. Frhr. v. Feilitzsch. v. Heinleth.
Auf höchsten Befehl:
Der Ministerialrath im k. Staatsministerium des Innern,
v. Neumayr.

Erlasse, Gerüchte, Extrablätter

Links: Die Regentschaftserklärung des Prinzen Luitpold vom 10. Juni.

Unten: Eine Extraausgabe des »Münchner Fremdenblattes« vom 11. Juni. Nicht zutreffend ist hier der Satz: »Die Kommission war gefesselt in Hohenschwangau internirt.« Auch die »amtliche« Meldung: »...daß sich Seine Majestät in Hohenschwangau befinden und daß die ärztliche Behandlung Derselben in schonendster Weise bereits begonnen hat«, entspricht nicht den Tatsachen. Die widersprechendsten und teilweise unsinnigsten Gerüchte, oft gehässiger Natur, durchschwirrten die Welt.

Die letzten zuverlässigen Nachrichten
aus
Hohenschwangau
lauten:

Die Staatskommission, welche Sr. Majestät dem Könige die Nachricht von der Regentschaftübernahme durch Se. kgl. Hoheit Prinz Luitpold überbringen sollte, ist gestern Abend unverrichteter Sache wieder hieher zurückgekehrt. Die ganze Kommission war gefesselt in Hohenschwangau internirt und war die Aufregung der dortigen Bevölkerung, welche Sr. Maj. dem Könige zu Hilfe eilen wollte, eine derartige, daß für das Leben der einzelnen Mitglieder der Kommission große Befürchtungen eintraten.

Das Bezirksamt Füssen verhalf letzterer zur Flucht, dieselbe war aber gezwungen, um rasch von der Stelle zu kommen, das Gepäck zurückzulassen, welches erst heute Mittag hier eintrifft. — Bei der Ankunft der Kommission in Hohenschwangau rief S. M. der König den Grafen von Dürckheim zu Hilfe und Letzterer, von dem Stande der Dinge nicht unterrichtet, trat als Opponent auf.

Heute ist abermals eine Anzahl Gendarmerie nach Hohenschwangau abgegangen. Herr Gendarmerie-Oberst von Hellingrath traf gestern mit seinem Adjutanten an Ort und Stelle die nöthigen Dispositionen zur Entsetzung der Staatskommission. Das neue Schloß in Hohenschwangau ist nun vollständig isolirt, allein die Pflege Sr. Maj. des Königs hatte bis gestern Abend noch nicht beginnen können, da Se. Maj. der König Jedermann den Zutritt untersagt.

Amtlich wird gemeldet, daß sich Se. Majestät in Hohenschwangau befinden und daß die ärztliche Behandlung Derselben in schonendster Weise bereits begonnen hat.

Vorspiel
zum letzten Akt

Umsonst war das Bauern- und Bergvolk bereitgestanden, seinem König zur Flucht zu verhelfen. Umsonst hatten ihn auch Tiroler Schützen erwartet, um ihn noch jenseits der Grenze zu verteidigen... Nun rollen durch Regen und Nebel drei Wagen über Weilheim und Seeshaupt nach Berg. Vorne sind Dr. Müller, Kammerdiener Mayr und zwei Pfleger. Im mittleren Wagen, der von innen nicht geöffnet werden kann, sitzt Ludwig – allein. Draußen auf dem Bock Oberpfleger Barth. Den Schluß macht Gudden, mit Hauptmann Horn und zwei Pflegern. Kopfhängend reitet hinterdrein Fritz Schwegler, der als Vorreiter einmal nichts anderes als die Spitze gekannt hat. In Seeshaupt werden zum drittenmal die Pferde gewechselt, diesmal sind es nur Schimmel. Auf eine Bitte Ludwigs bringt ihm die Posthalterin, Frau Anna Vogl, weinend ein Glas Wasser und hört vom König dafür ein dreimaliges »Danke!« Sie wechseln auch einige Worte – und als die Kutschen weitergefahren sind, schickt Frau Vogl einen reitenden Boten nach Possenhofen, zur Kaiserin Elisabeth. Gegen Mittag erreichen die Wagen Schloß Berg. Dort hat inzwischen Irrenarzt Dr. Grashey, Guddens Schwiegersohn, gewirkt. Klinken sind abgeschraubt, in die Türen Gucklöcher gebohrt, die Fensterstökke haben bereits Löcher, um Gitterstäbe einzusetzen. Ludwig beklagt sich darüber beim Pfleger Mauder, der ihm ein bescheidenes Diner serviert. Dann geht der König zu Bett, und Mauder berichtet in seinem Schreibstil: »Es war eben dreiviertel drei Uhr nachmittags und erhielt von Majestät den Befehl, in neun Stunden zu wecken. Majestät ist nach einigen Minuten eingeschlafen... Ich meldete dem Herrn Dr. Müller wegen dem Wecken in neun Stunden. Dieser sagte, daß Majestät nicht geweckt wird, sondern es wird Majestät zu der Ordnung gebracht, daß der Tag zum Tag und Nacht zur Nacht gemacht wird...«

Postamt Seeshaupt mit Bild Ludwigs II.

Pfingstsonntag 13. Juni 1886

Ludwig wacht kurz vor ein Uhr auf. Den Nachtdienst haben die Wärter Braun und Schneller. Sie weigern sich, ihm seine Kleider zu geben, und er geht stundenlang in Hemd und Strümpfen auf und ab. Um sechs Uhr früh kommt Mauder wieder und erlebt, daß »Majestät zwölf Eimer Wasser zum Waschen braucht«. Nach dem Frühstück unternimmt Ludwig einen Spaziergang mit Gudden, zwei Wärter folgen, im Park sind Gendarmen postiert. Gudden kommt bester Laune zurück und erklärt, der König *(rechte Seite: letzte Aufnahme)* sei ein Kind. In Schloß Berg *(links)* hatte Ludwig vor 22 Jahren aus freiem Entschluß seine Sommerresidenz aufgeschlagen *(Bild unten),* hier hat er seine Regierungsgeschäfte geführt, und jetzt hat man ihn zwangsweise hierher gebracht. Aber daran denkt niemand. Gudden ist zufrieden und telegraphiert mit größter Sorglosigkeit an Lutz in München: »Hier geht alles wunderbar gut!«

Gudden: »Es darf keiner mitgehen!«

Der König diniert nachmittags um vier Uhr. Allein, und nicht ohne Argwohn, daß man ihn mit irgendeinem beigemischten Mittel in stumpfsinnigen Zustand versetzen wolle, um ihn so dem Volk zu zeigen und zu beweisen, daß man mit ihm verfahren müsse, wie es geschehen ist. Am Morgen hat man ihm ja abgeschlagen, den Frühgottesdienst in Aufkirchen zu besuchen – um unliebsames Aufsehen zu vermeiden. Nach Tisch darf er seinen früheren Oberküchenmeister Zanders empfangen, diesen aber verpflichtete Gudden zuvor ehrenwörtlich, mit Ludwig nicht über Fluchtpläne zu sprechen. Zanders berichtet: »Der König kam auf mich zu, mit blitzenden Augen, energisch, lebhaft, wie in seinen besten Tagen – ein ganz anderer als achtundvierzig Stunden zuvor. Er zeigte mir die Vorrichtungen in beiden Zimmern, die verschließbaren Fensterriegel, die Löcher in den Türen, alles, was ihm sagen mußte, daß man ihn für tobsüchtig hielt.« Dann fragt ihn Ludwig, ob er wohl lange gefangengehalten würde, und als Zanders ihn mit baldiger Heilung und Entlassung zu trösten versucht, fragt der König zurück: »Glauben Sie das wirklich? Mein Onkel Luitpold wird sich an das Regieren gewöhnen und soviel Gefallen daran finden, daß er mich nie wieder herausläßt.« Dann will er wissen, ob die Gendarmen im Park scharf geladene Gewehre hätten und etwa auf ihn schießen würden. Zanders sagt, daß die Gewehre gar nicht geladen seien und es ganz undenkbar wäre, daß auf Majestät geschossen würde. Schließlich drängt ihn Ludwig in eine Fensternische, um außerhalb des Beobachtungskreises in der Tür zu sein. Zan-

ders hat den Eindruck, als wolle er ihm etwas Besonderes sagen, denkt an sein Versprechen Gudden gegenüber und bittet den König, ihn zu entlassen. Ludwig setzt nochmals zum Sprechen an, Zanders wird ängstlich, wiederholt die Bitte... »und da nahm das Auge des Königs plötzlich jenen finsteren Ausdruck an, den es immer hatte, wenn sein Mißtrauen gegen irgend jemand erwachte. Er sagte nichts mehr und gab das Zeichen der Entlassung.« – Kurz nach sechs Uhr tritt Gudden mit Ludwig den versprochenen zweiten Spaziergang an. Pfleger Mauder rollt dem König noch den Schirm zusammen, er schreibt in seinen Erinnerungen ausdrücklich: »Der König ging zu. Vor dem Schloß einige Schritte rückwärts war Gudden, welcher sich umdrehte und sagte: ›Es darf keiner mitgehen!‹« Mauder gibt das im Schloß drinnen den beiden anderen Pflegern weiter, die schon nacheilen wollten, und meldet es ebenso Dr. Müller. Das Aquarell von H. Breling (rechte Seite) entspricht also nicht ganz den Tatsachen. Dr. von Gudden gab seinen Befehl unmittelbar vor dem Schloß. Unter einem schweren Regenhimmel gingen beide allein weg – die Riesengestalt des Königs mit schwarzem Mantel und breitrandigem Hut, der Arzt im feierlichen Zylinder. In der regnerischen Pfingstnacht zuvor hatte man flackernde Feuer gesehen, am Ufer sollen Boote bereitgelegen sein. Auch soll der König beim Vormittagsspaziergang aus einem Gebüsch heraus ein Zeichen erhalten haben. Vieles wurde später geraunt. Von dem folgenden Geschehen aber gibt es keine Zeugen – es wird ein ewiges Geheimnis bleiben.

Der König ist tot...

Als Gudden nicht, wie erwartet, um acht Uhr zurückkam, wurde Dr. Müller unruhig und schickte drei Gendarmen in den Park – in dem, nach seinen Aufzeichnungen, zwei bereits die ganze Zeit über patroullierten. (Diese zwei sagten später aus, nichts gehört oder gesehen zu haben.) Dann wurde gemeinsam mit Baron Washington, Schloßverwalter Huber und fast dem gesamten Personal der Park durchsucht. Es war alles umsonst, und kurz vor zehn Uhr ging nach München ein Telegramm ab: »Der König und Gudden am Abend spazieren gegangen, noch nicht zurück, der Park wird durchsucht.« Die Aufregung war unbeschreiblich. Um 10.30 Uhr wurden am Ufer Ludwigs Hut mit der Diamantagraffe, sein Mantel und sein Rock gefunden, dann Guddens Hut und Regenschirm. Dr. Müller berichtet: »Nun lief ich mit Huber hinunter an den See, wir weckten einen Fischer, bestiegen ein Boot und fuhren um elf Uhr ab gegen Leoni zu. Wir waren noch nicht lange auf dem Wasser, da stieß Huber plötzlich einen Schrei aus und sprang ins Wasser, das ihm bis an die Brust ging, er umklammerte einen Körper, der auf dem Wasser schwamm, es war der König in Hemdsärmeln, ein paar Schritte hinterher kam ein zweiter Körper – Gudden. Ich zog ihn ins Boot und dann ruderte der Fischer gegen das Ufer zu...«

Die Fundstelle am Ostufer des Starnberger Sees. Ludwigs Uhr zeigte 6 Uhr 54 Minuten, zwischen Uhrglas und Zifferblatt sah man das eingedrungene Wasser. Guddens Uhr war um acht Uhr stehengeblieben.

Mühselige Bergung aus dem See,
Ludwig hatte die seltene Körpergröße von 1,91 m.

Aufbahrung in Schloß Berg

Ärztlicher Befund Dr. Müllers: »Während der König am Körper nirgends Verletzungen zeigte (dagegen hatte die Hutkrempe einen frischen Einriß), fanden sich an Guddens Gesicht, auf Stirn und Nase mehrere schräg verlaufende Kratzwunden, über dem rechten Auge war ein nicht unbedeutender blauer Fleck, jedenfalls von einem Faustschlag herrührend. Ferner war der vordere Teil des Nagels am rechten Mittelfinger Guddens zur Hälfte abgetrennt.« Nachdem am Pfingstmontag Kaiserin Elisabeth schluchzend das Totenbett verlassen hatte, durfte endlich das unruhig wartende Landvolk in das Schloß. In unbeschreiblicher Erregung sahen Bauern, Fischer, Frauen und Kinder, daß ihr König wirklich tot war. Viele knieten nieder, andere verfluchten Dr. von Gudden, bedrohten die Dienerschaft, wieder andere rissen aus dem Leinentuch, auf dem Ludwig lag, Stücke heraus und küßten sie. »Vater unser...«, rief gellend eine Frauenstimme, und alle beteten mit.

Extra-Blatt

Früh 7 Uhr.

Volkswirthschaftliche,

Alpine & Sport-Zeitung

Neueste Nachrichten

und

Münchener Anzeiger.

München, Montag 14. Juni.

39. Jahrgang. 1886.

Nachdem Seine Majestät der König seit der Ankunft in Schloß Berg den ärztlichen Rathschlägen ruhige Folge geleistet hatten, machten Allerhöchstdieselben gestern Abends 6¾ Uhr in Begleitung des Obermedizinalrathes Dr. von Gudden einen Spaziergang in den Park, von dem Allerhöchstdieselben und Dr. von Gudden längere Zeit nicht zurückgekehrt sind. Nach Durchsuchung des Parkes und des Seeufers wurden Seine Majestät mit dem Obermedizinalrath Dr. von Gudden im See gefunden. — Seine Majestät gaben gleichwie Dr. von Gudden anfangs noch schwache Lebenszeichen. Die von Dr. Müller vorgenommenen Wiederbelebungsversuche waren jedoch vergeblich. Um 12 Uhr Nachts wurde der Tod Seiner Majestät konstatirt. Gleiches war bei Dr. von Gudden der Fall.

München, den 14. Juni 1886.

Königliche Polizeidirektion.

Die Todesnachricht ruft eine ungeheuere Erregung hervor

Bis zur Beisetzung Ludwigs jagen sich Extrablätter, manches erscheint in vier Ausgaben an einem Tag *(siehe rechte Seite)*. Neues ist dabei kaum zu melden, doch wird man nicht müde, dasselbe immer wieder zu lesen... Währenddem aber schreibt Graf (später Fürst) Philipp zu Eulenburg, preußischer Gesandtschaftssekretär in München, an seinen Freund Fritz von Farenheid-Beynuhnen einen erstaunlichen Brief: »Ich habe die unerhörten Aufregungen, die das Königsdrama mit sich brachte, gut ertragen. Es war von wunderbarem Interesse, diese unglaublichste aller Katastrophen der Neuzeit, gleichsam mithandelnd, zu erleben. Eingeweiht in die sich vorbereitende Staatsaktion, die den unglücklichen König entmündigen sollte, habe ich auch nachher die Ereignisse in Hohenschwangau miterlebt, wo der wahnsinnige König die Kommission, die ihm seine Absetzung verkünden sollte, zum Tode verurteilte. Ich bin auch in der Nacht in Starnberg geweckt worden, als der König mit Gudden drüben in Berg tot im Wasser gefunden worden war. Niemals werde ich den Eindruck vergessen, als ich im Nebel des Morgengrauens mit meinem Fischer Jakob Ernst einsam über den See ruderte. Die Stille des Todes lag über Schloß Berg, und leichenblaß, wie erstarrt, keines Wortes mächtig, standen die Diener im Hof, auf den Gängen, als ich mit klopfendem Herzen zu dem Zimmer eilte, wo der mythusumsponnene König, ein wahnsinniges Lächeln auf den verblaßten Lippen, die schwarzen Locken kühn um die weiße Stirn wallend, soeben tot auf sein Bett niedergelegt worden war. Auf meine entsetzten Fragen erhielt ich kaum Antwort. Ich mußte mir selbst zusammenreimen, was geschehen war. Da lag im Nebenzimmer Dr. von Gudden tot, den Ausdruck düsterer Energie auf seinem Antlitz. Ich sah die Narbe auf seiner Stirn, die fürchterlichen Strangulationsmarken an seinem breiten Hals. Er war von seinem König erwürgt worden, weil er ihn hindern wollte, sich selbst den Tod zu geben. Ich war der erste, der im Tageslicht die Spuren des Kampfes am Seeufer untersuchte. Da sah ich jenen Abdruck der Schritte des Königs, so tief unter der Wasserfläche, daß nur ein Mensch, der sich gewaltsam hinunterdrückt, solche Spuren hinterlassen konnte. Niemals vermöchte ein Fliehender, hier, an dieser der Mitte des Sees zugewandten Stelle, Spuren zu hinterlassen. Der Fliehende hätte rechts oder links das Ufer erreicht und ein sicherer Schwimmer wie der König, keinen Eindruck tief unter der Oberfläche hinterlassen, wenn nicht die Absicht des Todes ihn beherrschte. Von der Stelle, wo deutlich die Spuren des Kampfes mit Dr. von Gudden sichtbar waren, gingen die weiten, eilenden Schritte des Königs, senkrecht zur Uferlinie, in den Tod!« – Zu diesen letzten Sätzen Eulenburgs ist zu sagen, daß andere Beobachter, die vom Kahn aus die Spuren in dem Lettenboden des Sees prüften, andere Schilderungen gaben. Interessant ist, daß der preußische Gesandtschaftssekretär alle vorherigen Ereignisse aus nächster Nähe miterleben konnte, sich dabei aber diskret im Hintergrund hielt – und daß er zu Pfingsten in Starnberg weilte, war ebenfalls kein Zufall. Auffallend bleibt, daß Dr. Müller, der Arzt, mit keinem Wort von »fürchterlichen Strangulationsmarken« am Hals des toten Gudden spricht. Doch bezeugt er später, daß eine Sektion der Leiche »aus unbekanntem Grunde« unterblieb. Guddens unmittelbare Todesursache blieb also im Dunkel. Die Sektion der Königsleiche nahmen Obermedizinalrat Kerschensteiner und Anatom-Professor Rüdiger vor. Als Ergebnis wurde nur »eine volle Bestätigung des Gutachtens über die Geisteskrankheit Ludwigs« bekanntgegeben. Dieser Befund erfuhr herbe Fachkritik – kein Wort aber hörte man über die eigentliche Todesursache.

146

☞ Preis 10 Pfennig.

Viertes Extrablatt

des

 **„Gemeindebürger".**

Ausgegeben 15. Juni um 2½ Uhr Nachmittags.

Originalbericht.

 **Warum man den König nach Berg gebracht.**

In Hohenschwangau und Umgegend war die Erregung groß. Der König selbst wurde erst durch Oberregierungsrath von Müller beruhigt.

Ehe er Hohenschwangau verließ, that er die Aeußerung:

„Daß man mir die Regierung nimmt, das ertrag ich, aber daß man mich für irrsinnig erklärt, das überleb ich nicht."

Solche Aeußerungen steigerten die Erregung und man fürchtete sich, den König nach dem Linderhof zu bringen, um der Tyroler willen.

Zweimal war alles zur Flucht des Königs vorbereitet. Aber er verschmähte es, zu fliehen.

„Wollte ich der Sache entgehen, so stürzte ich mich in die Schlucht herab vom Thurm."

Als der König aus dem Zimmer trat, griffen ihm zwei Wärter unter die Arme. Er warf Dr. von Gudden einen langen finsteren Blick zu. Dann stieg er allein in den Wagen, seinen Wagen, nicht den Irrenhauswagen, den man herangebracht. Dann ging die Fahrt, vorneauf saß ein Oberwärter, mit doppeltem Relaiwechsel nach Berg.

Hier kannte der König jede Gelegenheit für sein Vorhaben — er hat sie benützt. Die Stelle, wo der König auf der Flucht zum See durchgebrochen, liegt auf Mitte Weges vom Schloß zu Leoni. Gebüsch ist geknickt, zwei Fähnlein bezeichnen die Stelle, zwei kleine Hölzchen den Platz, wo Rock und Hut des Königs lagen. Gudden hat den König zu halten versucht. Mit einem Ruck hat der König beide Röcke, die Aermel ineinander, fahren lassen.

Dann gings hinein in den See. Es war ein wüthender Kampf. Dann folgte Ruhe — die Ruhe des Todes.

Der See that sein Werk und spülte die Leichen heran. Nur 10 Meter vom Ufer lagerten die Leichen friedlich bei einander — —

Die Leiche des Königs in München.

Der Sektion des Königs, die in dem sog. Marterzimmer, oberhalb der Hofkapelle in der Residenz vorgenommen wird, wohnen 8—10 Herren bei, darunter der langjährige Leibarzt des Königs

Dr. Schleiß,

der sich von seiner Krankheit nicht überzeugen will.

Auch Professor Ziemssen, die bekannte Autorität, ist zugegen.

Gleich nach der Sektion findet die Einbalsamirung statt, die Dr. Nobiling vornimmt.

Redaktion und Verlag von Josef Morgenstern, München. Druck von J. A. Beck, München, Zweigstr. 4.

Tausende pilgern vorüber

Abends gegen neun Uhr wurde die Leiche des Königs nach München überführt. Lautes Schluchzen begleitete den Zug, in jedem Dorf stellte die Bevölkerung ein neues Geleit. Der Sarg fuhr an Schloß Fürstenried vorbei, in dem der neue, aber regierungsunfähige König Otto, Ludwigs Bruder, sein Leben verdämmerte – dann gab ab Sendling eine Eskadron Chevaulegers die Ehreneskorte. Am 15. Juni, gegen drei Uhr morgens, traf Ludwig in seiner Residenz ein. In der alten Kapelle, wo er einst so manchen Getreuen zum Georgiritter geschlagen hatte, wurde seine sterbliche Hülle aufgebahrt – in der schwarzen Samttracht des Großmeisters des Hubertusordens. Sein Haupt ruhte auf einem Hermelinmantel, um den Hals funkelte die große, edelsteinbesetzte Ordenskette. Die linke Hand lag auf dem Griff des altertümlichen Ordensschwertes, die Rechte drückte die Jasminblüten der Kaiserin Elisabeth an die Brust. Hochaufgebahrt, fast stehend, mit ernstem Gesichtsausdruck, überragte die Gestalt die wachehaltenden Georgiritter in ihrer roten Tracht und die Hartschiere samt deren Hellebarden. Heller Kerzenschein umrahmte den Sarg.

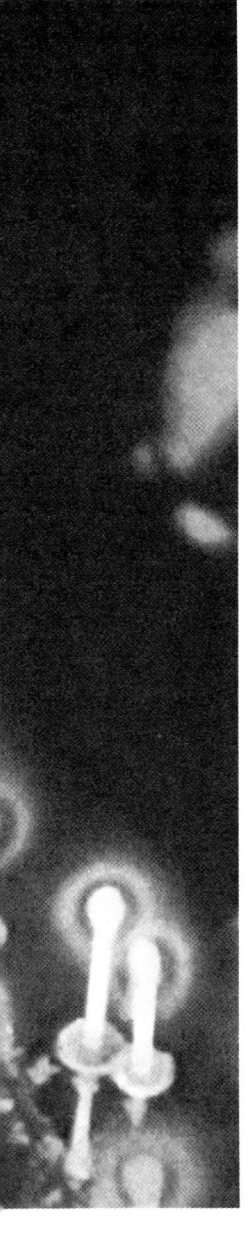

Über dem Katafalk schwebte, von einer Krone gehalten, ein schwarzer Baldachin. Der Hochaltar war mit einem schwarzen, weiß durchkreuzten Tuch behangen, von dem die Wappenschilder des Königs leuchteten.

Drei Tage lang nahmen Männer und Frauen jeden Alters und jeden Standes in scheuer Ehrfurcht Abschied von ihrem König. Zu den dichten Menschenmassen gesellten sich immer neue Gruppen aus dem bayerischen Oberland. Wetterharte Gebirgsjäger, Fischer, Bauern und Holzknechte, Bäuerinnen und Dirndln in Festtagstracht beugten die Knie und bekreuzigten sich unter heißen Tränen. Viele von ihnen aber starrten wie gebannt auf die Königsleiche und blieben eisern stehen, indes sich eine dichtgedrängte Menge an ihnen vorbeischob... Ihre Augen bemerkten nichts von der feierlichen Aufbahrung, sie suchten nur ein Antlitz wiederzufinden, das ihnen aus persönlichen Begegnungen vertraut war. Und diese Menschen stutzten, nickten sich bedeutungsvoll zu, bekamen große Augen und klopfende Herzen. Sie glaubten – ein Gesicht aus Wachs zu sehen und waren hernach fest davon überzeugt, daß an Stelle ihres Königs eine Wachspuppe im Sarg gelegen habe. Eingeweihte behaupteten später, daß ein Maskenbildner Ludwigs Antlitz mit einer Wachsschicht überzogen hätte, um es würdig zu zeigen – im Oberland jedoch entstand die Mär, daß man den König samt Gudden weit weg in Verbannung geschickt habe und an ihrer Stelle Wachspuppen beerdigt worden seien. Fischer Jakob Lidl, der bei der Bergung dabeigewesen war, mußte noch oft die Frage hören: »Gell, Lidl, du hast Wachspupp'n aus dem See zog'n?« Der Mann schwieg dazu zeitlebens – doch werden wir noch ein Dokument kennenlernen, das er geschrieben haben soll...

Stille
des Todes –
und
geheimnis-
volles
Wispern

Oben rechts: Die Bayerische Königskrone. Stirnreif mit acht durchbrochenen Spangen, die sich im Gipfel vereinen und dort die Weltkugel mit Kreuz tragen.

Oben Mitte: Ordenskreuz St. Hubertus, ebenfalls in Malteserkreuzform und mit reichem Edelsteinbesatz.

Unten: St.-Georgs-Orden.

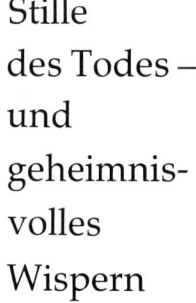

Zeugnisse aus der Münchner Tagespresse

Das Bouquet der Kaiserin.

Das Bouquet, welches Kaiserin Elisabeth geschickt und das die Brust des Königs ziert. wird nach Carlsbad geschickt und dort versteinert werden. Bei der Umlegung des Sarges in den großen Zinnsarg wird das Bouquet wieder zur Leiche gelegt werden.

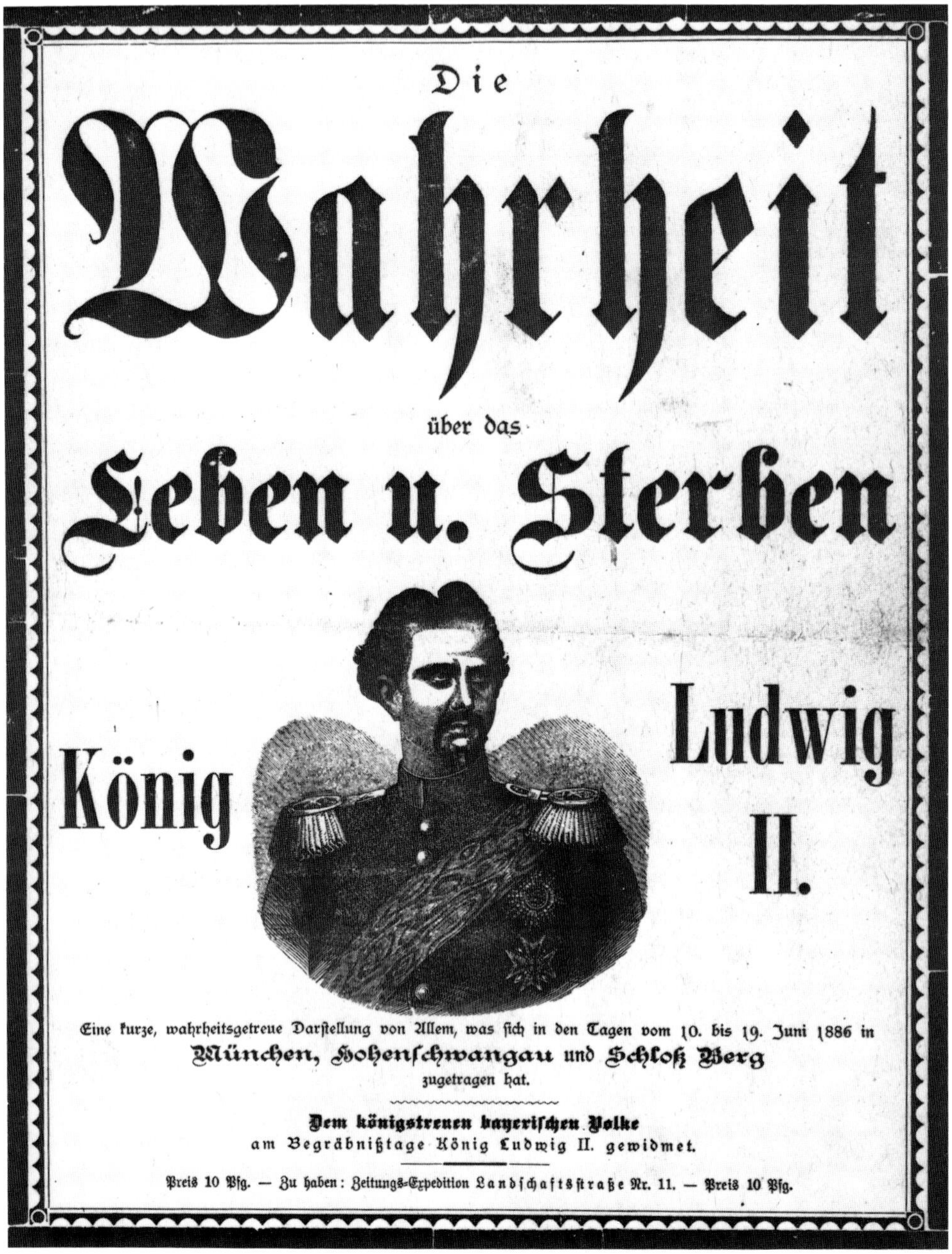

Die
Wahrheit
über das
Leben u. Sterben
König
Ludwig
II.
Eine kurze, wahrheitsgetreue Darstellung von Allem, was sich in den Tagen vom 10. bis 19. Juni 1886 in
München, Hohenschwangau und Schloß Berg
zugetragen hat.
Dem königstreuen bayerischen Volke
am Begräbnißtage König Ludwig II. gewidmet.
Preis 10 Pfg. — Zu haben: Zeitungs-Expedition Landschaftsstraße Nr. 11. — Preis 10 Pfg.

Eine Zeitungsnotiz (oben) kündet von einem verschollenen Brauch: der letzte Blumengruß aus den Händen Elisabeths wird »versteinert«.

Links: Der erste Zeitungsartikel, der behauptet, »Die Wahrheit« über Leben und Tod Ludwigs II. zu wissen – er eröffnete eine Flut von Publikationen.

Unten: Eine der vielen Anzeigen, mit denen von Kunsthandlungen Porträts »zum Andenken an unseren geliebten König Ludwig II.« angeboten wurden.

Soeben erschienen und von Geiger's lith. Kunstanstalt, Ledererstr. 19/1, zu beziehen: weiland Sr. Maj. König Ludwig II.

Königs-Porträt

in prachtvollem Oelfarbendruck, hergestellt nach den letzten photographischen Aufnahmen mit reichen Goldrahmen zu billigen Preisen.

Gut situirten Personen auch gegen Ratenzahlungen.

Geiger & Cie.,
Vergolderei u. lith. Kunstanstalt,
19/I Ledererstraße 19/I.

[80,819.]

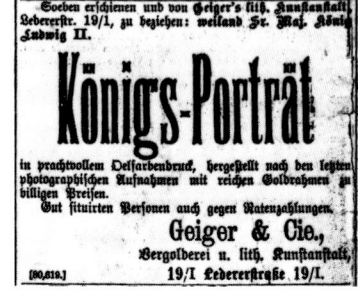

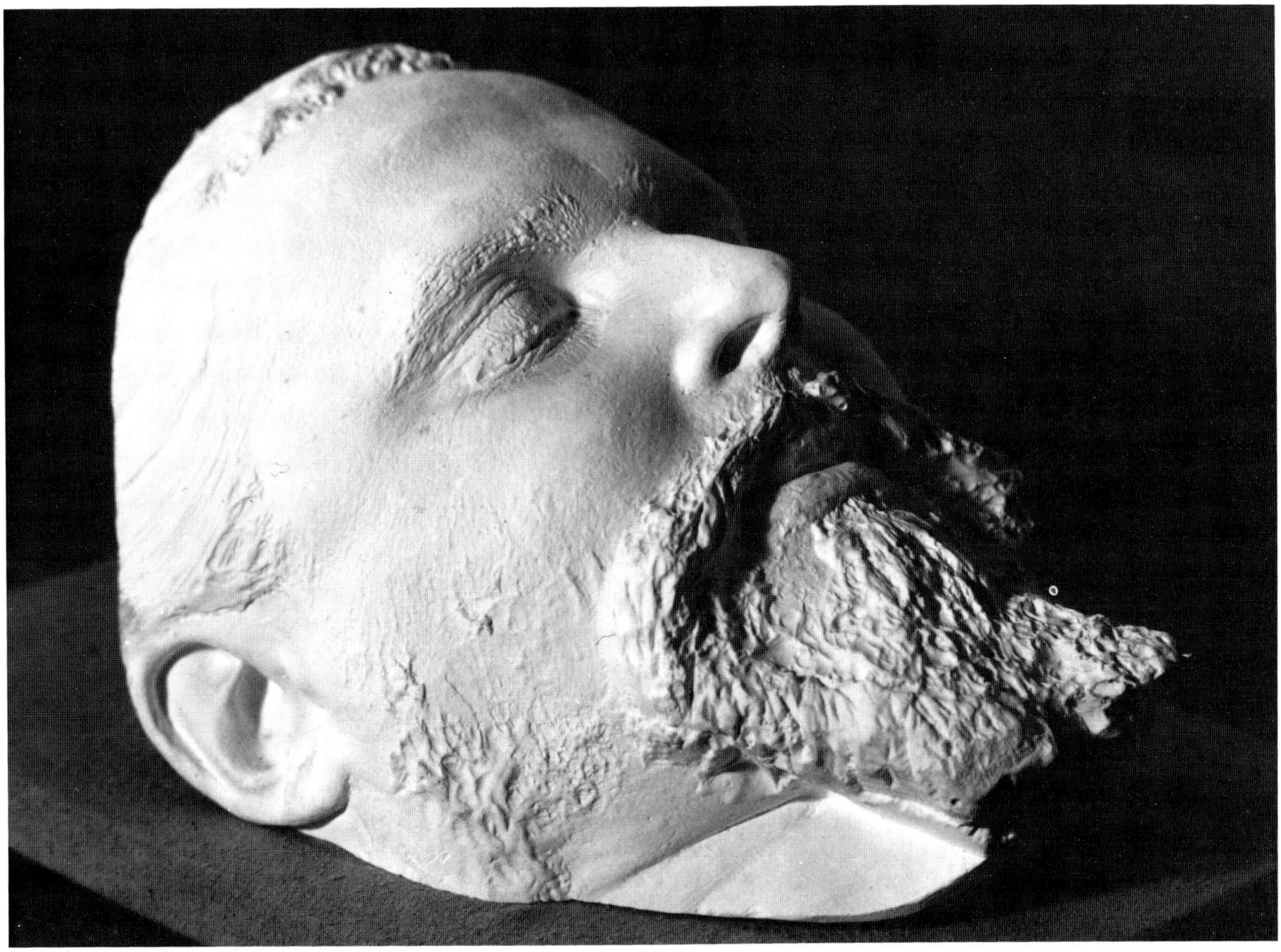

Totenmaske Ludwigs II.

Gottfried von Böhm, der den toten König sah, schreibt: »Ich fand nicht, daß er entstellt war oder einen tyrannischen und herrischen Ausdruck hatte, wie einige von denen behaupteten, welche die Leiche vor der Einbalsamierung gesehen hatten. Auch die Totenmaske, die noch in Berg von ihm abgenommen wurde, trägt diesen Ausdruck nicht. Im Gegenteil umspielte ein mildes, fast ironisches Lächeln den Mund. Auch von Wahnsinn zeigten die erstarrten Züge keine Spur. Er lag friedlich da.« – Nicht anders war der Eindruck des preußischen Kronprinzen, der für die Königsmutter am 18. Juni 1886 die herzlichen und noblen Worte fand: »Heute sah ich das Antlitz deines lieben Sohnes zum letztenmal, nachdem 15 Jahre verstrichen, seitdem ich ihn erblickte. Friede und Ruhe lagen auf seinen Zügen, denen der Tod die Schönheit nicht rauben konnte. Der Zudrang aller Schichten des Volkes war großartig und dauert ununterbrochen fort.«

Rechts: Eine Locke des Königs. Sie befindet sich, gleich der Totenmaske, in Herrenchiemsee.

Extrablatt der »Neuesten Nachrichten« vom 14. Juni 1886: Die Verfassungsurkunde sagt: »Die Krone ist erblich im Mannesstamm des kgl. Hauses nach dem Rechte der Erstgeburt und der agnatischen linearen Erbfolge... Zur Successionsfähigkeit wird eine rechtmäßige Geburt aus einer ebenbürtigen, mit Bewilligung des Königs geschlossenen Ehe ge-

Abschied für immer

Zeitungsnotiz vom 17. Juni: »Der Andrang des trauernden Bayernvolkes zur alten Kapelle in der Residenz *(oben)* dauert ungeschwächt fort. Eine in Ohnmacht gefallene Dame wäre beinahe zertreten worden. Im ganzen wurden gestern etwa 20 Personen ohnmächtig, und ein ganzer Berg von verlorenen Zöpfen, Tournüren, zerbrochenen Schirmen und dergleichen zeigt von dem Kampf, der zu bestehen war. Auch die Taschendiebe waren thätig.« – Den Trauerzug *(rechts)* am 18. Juni eröffnete die Geistlichkeit. Dem Leichenwagen gingen als Sinnbild des Todes die »Gugelmänner« voraus. Sie trugen vor der Brust gekreuzt brennende Kerzen und die »Gugel«, eine spitze Kapuze, die ihre Gesichter verhüllte. Die Zeitungen brachten Gedichte, das »Bayerische Vaterland« eine symbolische Zeichung *(rechte Seite)*. Dr. von Gudden wurde zwei Tage zuvor beerdigt – ohne daß vom königlichen Haus jemand anwesend war. Dies verbot die Etikette, da der König noch nicht beigesetzt war. Die »Neuesten Nachrichten« schrieben: »... noch Stunden umstanden dichte Gruppen schweigsam die Gruft des berühmten Arztes und Gelehrten, der aus diesem Leben schied in selbstlos hingebender Treue zu seinem König und seinem edlen Berufe im Dienste der Menschheit.«

fordert.« Hierzu stellt Max Seydel (Bayerisches Staatsrecht I, 395) fest: »Die von der Verfassungsurkunde aufgestellten Erfordernisse der Thronfolgefähigkeit sind erschöpfend. Insbesondere schließt Regierungsunfähigkeit von der Thronfolge nicht aus...« Am Tag nach der Beisetzung Ludwigs schrieb demgegenüber Anton Memminger, Herausgeber der »Unabhängigen Bayerischen Landeszeitung«: »Um sich auf seinen Sesseln weiter halten und in gewohnter Weise fortwursteln zu können, hat das Ministerium Lutz den Prinzen Otto zum König eingesetzt... In der Urkunde heißt es, daß der König den Eid auf die Verfassung leisten muß. Ein Prinz, der aber nicht fähig ist, einen Eid zu leisten, weil er denselben weder verstehen noch halten kann, soll der nun fähig sein, König zu werden?... Das Ministerium hat den Regenten um seiner selbst willen berufen.« – Memminger wurde angeklagt und wegen »Ministerbeleidigung« zu zwei Monaten Gefängnis verurteilt. In einer feuchten, finsteren Zelle im alten Gefängnis zu Würzburg erkrankte er und kam durch Konfiskationen, erneute Verfolgungen, Strafen und Gerichtskosten an den Rand des Ruins.

Die Beisetzungsfeier

Der Leichenzug biegt am Alten Botanischen Garten zum Stachus ein. Im Hintergrund der Glaspalast *(oben)*. Tausende säumten die Straßen, ein Fensterplatz kostete hundert Goldmark. Hinter dem Leichenwagen schritt der Prinzregent, ihm folgten Kronprinz Friedrich von Preußen und Rudolf von Österreich, Fürsten, Erzherzöge, der Hochadel, die Beamtenschaft und endlose Reihen der Bevölkerung. Als der Sarg in die St.-Michaels-Hofkirche gebracht wurde, brach aus zuvor heiterem Himmel Blitz und Donner, ein kurzer Regenguß prasselte nieder. Das Volk erschauerte,

und die Zeitungen schrieben: »Der Himmel hat eine Träne geweint!« *Linke Seite:* Die Beisetzungsfeier in der St.-Michaels-Kirche, vorne der Eingang zur Gruft. – Noch zwei Nachklänge: Der Füssener Bezirkshauptmann Sonntag, der die »Fangkommission« verhaftet, ihren Abzug aber beschützt hatte, wurde ungnädig verabschiedet und starb vor Gram ein knappes Jahr später. Graf Dürckheim, für den Kameraden und Hof offen Partei ergriffen hatten, sprach man am 14. Juli 1886 nach peinlichem Verhör von der Anklage des Hoch- und Landesverrats frei. Auch Bismarck hatte sich sofort für ihn verwandt. Dürckheim wurde nach Metz versetzt, seine Karriere aber litt unter diesem Zwischenfall nicht. Er starb 1912 als kommandierender General.

KÖNIGLICHE TAFEL

München, 21. 6. 1886

Ochsenschweifsuppe

Königseeforellen

mit Bearnaiser Tunke

Kalbsrücken

mit gefüllten Champignons

Fleischpastetchen

nach Richelieu

Hühnerbrüstchen

in Mayonnaise mit Trüffel

Königssorbet

Rehbraten mit Pfeffertunke

Salat und Kompott

Spargel mit Hollandaise

Gebackene „Igel"

mit Weichseln

Gefrorenes aus dem Backofen

*

Oben: Das Trauermahl in der Residenz, am Tag der Beisetzung des toten Königs vom Hofkoch Theodor Hierneis bereitet.

Oben links: König Otto.

Links: Prinzregent Luitpold.

Rechte Seite: Der Genius unsterblichen Ruhms reicht dem beim nächtelangen Studium von Prachtbänden überraschten König einen Lorbeerkranz.

Die Proklamation lautet:

Ich Ludwig II. König von Bayern

sehe mich veranlaßt an Mein geliebtes bayerisches Volk und an die gesamte deutsche Nation folgenden

Aufruf

zu erlassen.

Der Prinz Luitpold beabsichtigt sich ohne Meinen Willen zum Regenten Meines Landes zu erheben, und mein bisheriges Ministerium hat durch unwahre Angaben über Meinen Gesundheitszustand Mein geliebtes Volk getäuscht und bereitet hochverrätherische Handlungen vor.

Ich fühle Mich körperlich und geistig so gesund, wie jeder andere Monarch, und der geplante Hochverrath ist so überraschend, daß Mir keine Zeit bleiben wird, Gegenmaßregeln zur Vereitelung der vom Ministerium beabsichtigten Verbrechen zu treffen.

Falls die geplanten Gewaltakte zur Ausführung kommen und Prinz Luitpold ohne Meinen Willen die Regierungsgewalt an sich reißt, beauftrage ich Meine treuen Freunde, mit allen Mitteln und unter allen Umständen meine Rechte zu wahren.

Ich erwarte von allen treuen bayerischen Beamten, insbesondere aber von jedem ehrliebenden bayerischen Offizier und jedem braven bayerischen Soldaten, daß sie eingedenk des heiligen Eides, durch welchen sie Mir Treue gelobt haben, Mir auch in diesen schweren Stunden treu bleiben und Mir im Kampfe gegen die nächststehenden Verräther beistehen werden.

Jeder königstreue Bayer wird aufgefordert, den Prinzen Luitpold und das bisherige Gesammtministerium als Hochverräther zu bekämpfen.

Ich fühle Mich mit Meinem geliebten Volk eins und bin der festen Ueberzeugung, daß Mein Volk Mich auch gegen den geplanten Hochverrath schützen wird.

Ich wende mich auch an die gesammte deutsche Nation und an die verbündeten Fürsten.

Soviel in Meiner Macht lag, habe Ich zum Aufbau des deutschen Reiches beigetragen und darf deshalb von der deutschen Nation erwarten, daß sie es nicht duldet, wenn ein deutscher Fürst durch Hochverrath verdrängt wird.

Falls Mir keine Zeit bleiben sollte, Mich an Seine Majestät den deutschen Kaiser direkt um Hilfe zu wenden, dann vertraue Ich der Gerechtigkeit, welche Mir zum Mindesten keinen Widerstand entgegensetzt, wenn Ich die Hochverräther in Meinem Lande den Gerichten überliefere.

Meine braven und treuen Bayern werden Mich sicherlich nicht verlassen, und für den Fall, daß man Mich mit Gewalt verhindern sollte, mein Recht selbst zu wahren, soll dieser Aufruf an jeden treuen Bayer eine Aufforderung sein, sich um Meine treuen Anhänger zu schaaren und an der Vereitelung des geplanten Verraths an König und Vaterland mitzuhelfen.

Gegeben zu Hohenschwangau am 9. Juni 1886.

Ludwig II.,
König von Bayern, Pfalzgraf b. Rh. 2c."

Nachrichten um den Tod

In der Unglücksnacht wurden im Park Radspuren eines Wagens entdeckt. – Erst 1932 trat ein »kgl. bayerischer Kammerherr Freiherr v. T.« mit einer »Enthüllung« hervor, in der behauptet wurde, daß zwei mutige Männer dem König zur Flucht verhelfen wollten und die Kaiserin Elisabeth davon gewußt hätte. Außerdem wären in dem Wagen Tausende von Handzetteln der »Proklamation« gelegen, die Ludwig noch am 9. Juni 1886 gegen den »Hochverräther Prinz Luitpold« verfaßt hatte und mit der jeder treue Bayer aufgefordert wurde, »an der Vereitelung des geplanten Verrathes gegen König und Vaterland mitzuhelfen«. Die zupackende Formulierung dieses Aufrufes läßt vermuten, daß Graf Dürckheim bei der Abfassung mitbeteiligt war. Die Proklamation erschien damals im »Bamberger Journal« und wurde auch auf Handzetteln verteilt. Das hier abgebildete, seltene Exemplar (links) trägt auf der Rückseite (oben) den Vermerk: »Umseitige Proklamation habe ich am Freitag den 10. Juni 1886 auf der Museums-Brücke zu Nürnberg erhalten, wo dieselben von einem mir unbekannten Manne an Vorübergehende ausgetheilt wurde. Anscheinend hatte der betreffende Mann erst sehr wenige Exemplare ausgetheilt, als ein Schutzmann oder ›Polizeidiener‹, wie die Schutzleute damals in Nürnberg hießen, hinzutrat, die weitere Vertheilung inhibierte, und, soviel ich weiß, die übrigen Exemplare confiscierte. gez. Warnberg.«

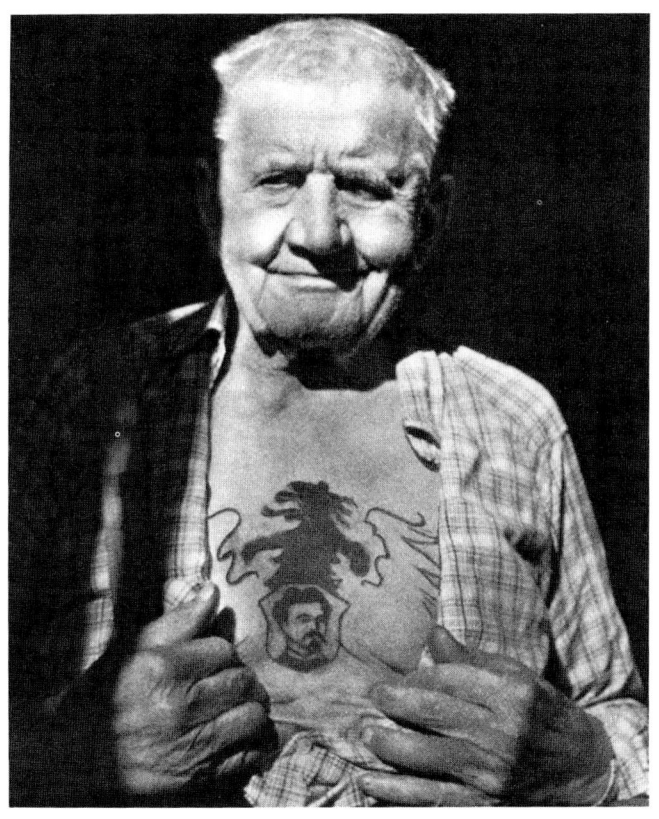

Den König auf der Brust tätowiert und treue Liebe zu ihm im Herzen bekundete 1961 der damals 95jährige Fritz Schwegler *(oben)*. Er war einmal Ludwigs Vorreiter, wir haben ihn bereits kennengelernt. Das Rätsel um des Königs Tod kann allerdings auch er nicht klären. Doch hat er die Leiche unmittelbar nach ihrer Bergung noch bekleidet gesehen und meint: »Derschoss'n ham s' ihn net. Da war keine Verletzung, nur Wasser...« Immer neue Broschüren erschienen, jede gab vor, »die Wahrheit über den Tod des unvergeßlichen Bayernkönigs Ludwig II.« zu wissen *(oben rechts)*. Aber wenn das Volk andernteils vielfach glaubte, Ludwig wäre noch am Leben, so kam der Phantasie auch wiederum ein Gemälde sehr entgegen, das den König samt Szepter und Krone auf dem Grund des Starnberger Sees zeigt *(rechts)*. Es hatte 1887 als Kunstdruck samt nachfolgendem Gedicht großen Erfolg:

EINE VISION

Allnächtlich auf des Sees Grund,
Wenn Luna glänzt in stiller Stund,
Erschauet man ein Königs-Bild,
Fast schemenhaft, im Schilfgefild.

Und händeringend klagt im See
Die schöne Nixe laut ihr Weh. —
Erst wenn der frühe Morgen graut,
Verstummet auch ihr Klagelaut.

An diesem Dokument, das erst Anfang 1961 aufgetaucht ist, konnte unsere Darstellung nicht vorübergehen. Rückseite eines beidseitig beschriebenen Blattes, das von Jakob Lidl, dem Leibfischer des Königs, stammen soll. Genaue Wiedergabe des gesamten, bisher völlig unbekannten Textes auf der rechten Seite.

Ein seltsames Dokument

Es handelt sich um einen doppelseitigen, mit Bleistift beschriebenen Bogen Papier im sogenannten »Reichsformat« (33 Zentimeter hoch und 21 Zentimeter breit). Diese Aufzeichnung soll von Jakob Lidl stammen, dem Leibfischer Ludwig II., und durch Zufall in seiner Hinterlassenschaft gefunden worden sein. Lidl wurde in der tragischen Nacht von Dr. Müller geweckt und fand mit ihm und Schloßverwalter Huber die Leichen im See. Seine »Erinnerungen« beginnen mit dem Jahr 1884, doch vermerkt er bis 1886 jeweils nur, daß er zu den Pionieren eingezogen werden sollte – und sicher wurde er auf Grund höherer Rücksprache zurückgestellt. 1885 dann, als der König auch im Ausland nach Geldquellen suchte, erwartete er im Auftrag Ludwigs »Herren aus Frankreich« – aber Lutz befahl ihm, den Besuchern zu sagen, daß Seine Majestät nicht zu Hause wäre. »Wenn nicht«, heißt es in der Aufzeichnung, »werde ich sofort zu den Pionieren eingezogen!« 1886 endlich erklärte ihm vier Tage vor dem Tode des Königs dessen Leibarzt Dr. von Schleiß: »Denke Dir, Jakob, es wolenz unseren König noch närrisch erklären, die Bande, es velt im doch gar nichts!« (Denke Dir, Jakob, jetzt wollen sie unseren König noch für verrückt erklären, die Bande, es fehlt ihm doch gar nichts!) Bemerkung: Dr. von Schleiß hat sich tatsächlich in diesem Sinne wiederholt geäußert. Aber nun zu Lidls sprunghaften Notizen über die Unglücksnacht des 13. Juni 1886 – zum besseren Verständnis haben wir in Klammern einige Wortergänzungen und Erklärungen hinzugefügt:
»13. Juni: gegen 10½ Uhr werde ich geweckt. Ich gl. [glaubte] zuerst [bei der] Flucht zu helfen [helfen zu sollen]. Die Uhren [Uhr] des Königs sechs M. [Minuten] vor 7 Uhr. Guddens zehn M. [Minuten] n. [nach] 8 Uhr [stehengeblieben]. Die Uhr des Königs war bereits in die Taschen eines Herrn verschwunden. Das Schicksalsdrama ist für mich, wie die Fußspuren Früh 5 Uhr mit Dr. Heiß aus Starnberg untersuchte, nur Schritte auf 1½ Meter zusammen. – Also kein Ringen, entweder wurde König d. [durch] Klorivorm [Chloroform] v. [von] Andern betäubt o. [oder] Herzschlag. Das man aber den König als Mörder des Guddens bezeichnet, ist völlig unwahr! – Waschinton [Freiherr von Washington] war der, der sämtliche Telegr. [Telegramme] verfälschte! – Später wurde mir gesagt, ein Fischer von Possenhofen, später Hoffischer in Ammerland, mußte die Schritte [des Königs und Guddens im Lettenboden des Sees] näher zusammenmachen. Dazu bediente er sich einer Stange mit angenageltem Holzpantoffel. – König war preißenfeind. Wir Fischer dürften keine deutsche Fahne [Schwarz-Weiß-Rot] haben. Bayerische Rautenfahnen [in Weiß-Blau] wurden jedem Fischer frei geliefert. – Heute besuchen mich noch Gebirgler und behaupten, ich habe 2 Wachspuppen nach Hause gefahren. – Telegrafist Mathaus sagte mir auch, die räumen den König auf die Seite. Vorläufig wird er närrisch erklärt!« (Folgt noch eine unleserliche Zeile.)

Diese Aufzeichnung ist jedenfalls nicht unmittelbar nach dem Königsdrama vorgenommen worden, es mögen wohl viele Jahre dazwischenliegen. Erstaunlich sind die Abweichungen im Vergleich zu der Schilderung Eulenburgs bezüglich der Fußspuren im See. Doch sind auch sonst erhebliche Widersprüche zu den bisher bekannten Umständen des Geschehens vorhanden – ganz abgesehen von kühnen Behauptungen, wie etwa, daß Washington die Telegramme »verfälscht« hätte, und anderem mehr. Fischer Jakob Lidl, der 1933 starb, hat zu Lebzeiten nie über seine Erlebnisse in der Todesnacht irgend etwas erzählt. Später wieder hat er dieses Schweigen mit der dunklen Andeutung erklärt: »Es wäre leicht gewesen, mich nach Haar [Irrenanstalt in München] zu bringen!« – Aber: Wenn seine Aufzeichnung stimmt, dann erhält das düstere Kapitel erregend neue Aspekte. Doch was auch Dokumente, Scharfsinn und Fabulierlust geben mögen – die letzten Stunden Ludwigs II. bleiben ein dunkles Rätsel.

»Nicht darüber reden!« Ein Gemälde von A. de Courten, von 1887. Es mahnte, dem toten König sein Geheimnis zu lassen.

Bayerns unvergesslicher
König Ludwig II.
† am 13. Juni 1886

Frau Posthalter Therese Vogl
in Seeshaupt,
† am 6. März 1906 zu Seeshaupt

König Ludwig II. nimmt am
Morgen des 11. Juni 1886 aus den Händen der Frau Posthalter Vogl in Seeshaupt das letzte Glas Wasser entgegen.

Man halte die Karte zirka 50 cm vom Gesicht entfernt,
betrachte genau den weissen Punkt an der Nase und
zähle dabei bis 30. Dann sehe man sogleich an eine
weisse Wand oder Decke, wo nach kurzer Zeit König
Ludwig II. erscheint.

Viel war über die Verschwendungssucht des Königs und seine Abgeschlossenheit von der Welt geklagt und gemurrt worden. Nun aber war alles vergessen, und mit einem Schlag war er wieder der strahlende Monarch von einst. Prinzregent Luitpold – der ohnehin schlecht beraten war, als er die Entmündigung verantwortete, statt dies dem Ministerium zu überlassen (das wiederum Furcht davor hatte, die öffentliche Meinung noch mehr gegen sich aufzubringen) – hatte lange auf das Vertrauen des Volkes zu warten. Und es war noch gutmütiger Spott, wenn man ihn, auf Grund seines rustikalen knorrigen Wesens als »Wurzelsepp« bezeichnete. Wie ganz anders war doch Ludwig II. gewesen, der jetzt als Märchenkönig, den ein düsteres Schicksal verklärte, in die Legende einging! Das erste äußere Zeichen waren Postkarten, von denen auf diesen beiden Seiten die beliebtesten vereint sind.

Rechte Seite: Zeitgenössische Bildpostkarten,
dem Andenken König Ludwigs II. gewidmet.

Du brauchst kein
Standbild von Stein,
Du brauchst kein Denkmal aus Erz,
Dein Bild wird ewig leben,
Im treuen Bayernherz.

Viele Grüße von Franz
Friedl, Regina Lutz, Sophie Lutz
Bertha Gunkel.

7362

Bayern trauert

Schloss Herrenchiemsee

Nº 19482 GEBRUDER METZ TÜBINGEN

Schloß Berg am Starnberger See.   Votivkapelle.

Votivkapelle im Schlosspark zu Berg   Starnberg mit Blick auf das Gebirge

Ottmar Zieher, München.   Schloss Berg

GRÜSSE vom STARNBERGER SEE.

Das König-Ludwig-Lied

Auf den Bergen wohnt die Freiheit,
auf den Bergen ist es schön,
wo des Königs Ludwig Zweiten
alle seine Schlösser stehn.

Allzufrüh mußt er sich trennen,
fort von seinem Lieblingsplatz:
Ja, Neuschwanstein, stolze Feste,
warst des Königs liebster Schatz!

Allzufrüh mußt er von dannen,
man nahm ihn fort mit der Gewalt,
gleich wie Babarn hams dich behandelt
und fortgeführet durch den Wald.

Mit Bandarsch und Kloriformen
traten sie behendig auf.
Und dein Schloß mußt du verlassen
und kommst nimmermehr hinauf!

Nach Schloß Berg hams dich gefahren
in der letzten Lebensnacht,
da wurdest du zum Tod verurteilt,
noch in derselben grauen Nacht.

Und geheime Meuchelmörder,
deren Namen man nicht kennt,
habens ihn in' See neingstoßen,
indem sie ihn von hintn angerennt.

Lebe wohl, du guter König,
in dem kühlen Erdenschoß,
von dort droben kannst du nicht mehr
runter in dein stolzes Schloß!

Ja, du bautest deine Schlösser
zu des Volkes Wohlergehn.
Neuschwanstein, das allerschönste,
kann man noch in Bayern sehn!

Ein neueres König-Ludwig-Lied gehört zum Repertoire der »Waakirchner Sänger« aus Tölz. Es wird von ihnen mit unnachahmlicher Grazie vorgetragen. Eine Strophe davon lautet:

> Ach, unser Ludwig, Bayerns Zierde,
> er war ein König Zoll für Zoll.
> Begabt von edler Herrscherwürde,
> sein Lob aus jedem Mund erscholl.
> Doch eines bleibt uns unvergeßlich,
> drum sei es hier im Lied erwähnt:
> die stolzen himmelblauen Augen,
> die jeder Wittelsbacher kennt!

Mit »Babarn« sind Barbaren gemeint. »Bandarsch« sind Bandagen, also Fesseln – und der Ausdruck »Kloriformen« will als Chloroform verstanden sein. Das Lied tauchte ursprünglich in zwei ähnlichen Fassungen auf. Diese dritte wird heute noch in herzzerbrechender Weise und mit echter Anteilnahme gesungen.

Zeugnisse
der Liebe

Zwei umgedichtete Strophen des König-Ludwig-Liedes geben direkt Bismarck die Schuld an Ludwigs Tod. Diese Volksfassung lautet: »Dr. Gudden und der Bismarck/den man auch den falschen Kanzler nennt/haben 's ihn in See hineingestessen/indem sie ihn von hinten angerennt!/Feiger Kanzler, deine Schande/bringet dir ganz gwiß kein Ehrenpreis/denn du kämpftest nicht im offenen Kampfe/wie der Rippenstoß von hinten her beweist!« Nach wie vor ist dieser Text im Umlauf, er gehört zu dem überreichen Schatz an Zeugnissen, mit denen die Legenden um Ludwig II. gepflegt wurden und noch werden.

Auch gibt es noch viel Zierat und Bilder, die von der Liebe zu ihm künden. *Oben:* zwei Beispiele: des Königs Bildnis auf dem Bierkrugdeckel und der »König-Ludwig-Feigenkaffee«. Es kann nicht wundernehmen, daß Leben und Tod des Märchenkönigs auch zu Ludwig-Filmen führten. 1930 wurde der König von Wilhelm Dieterle verkörpert. Überzeugend und für das Publikum »unvergeßlich« spielte 1956 O. W. Fischer mit Ruth Leuwerik als Kaiserin Elisabeth *(links)* diese Rolle. Inzwischen wurden weitere Ludwig-Filme gedreht, die zum verständlichen Verdruß aller Ludwig-II.-Verehrer mit absonderlichen Gags nicht sparten. Unter der neueren König-Ludwig-Literatur sei die Novelle »Vergittertes Fenster« von Klaus Mann (S. Fischer Verlag, 1960) erwähnt, die das Königsdrama in eine mythische Ballade hinüberträgt.

Ludwig II. – auf der Flucht erschossen?

Was in der regen- und sturmgepeitschten Nacht des Pfingst-
sonntags vom 13. Juni 1886 am Ufer und in den Wellen des
Starnberger Sees wirklich geschah, ließ seitdem die Gemüter
nie zur Ruhe kommen. Der König und sein Arzt waren allein, als beide den Tod fanden – einen Tod, der die Phantasie entzündete und die abenteuerlichsten Hypothesen in
Umlauf brachte. Sie alle aber haben das Dickicht um das
Drama nur um wildwuchernde Ranken vermehrt – oder
zucken in dem Dunkel mit Enthüllungen über einen »mittelalterlichen Königsmord« gleich grellen Blitzen auf. Einige
dieser Versionen seien näher betrachtet; zuvor jedoch soll
ein Mann zu Wort kommen, der dabei war, als die beiden
Leichen entdeckt wurden.

Der sehr spät entdeckte Bericht eines Augenzeugen

In der »Handschriften-Sammlung der Stadtbibliothek Mona-
censia« befindet sich eine »Wahrheitsgetreue Niederschrift
der Selbsterlebnisse bei der König-Ludwig-Katastrophe«
von Jakob Wimmer, seinerzeit Schloßverwalter von Berg.

Zeitgenössische Darstellung der Tragödie

Zum besseren Verständnis der nachfolgenden Auszüge ein
Hinweis zu den erwähnten Personen: Dr. Müller war Assi-
stenzarzt Dr. von Guddens, Huber war ebenfalls Verwalter.
Schuster war gleich Liebmann Schloßdiener und Gumbiller
Küchengehilfe. Mit dem Fischer Lidl und Jakob Wimmer
selbst handelt es sich also um eine siebenköpfige Gruppe,
die das Grauen am unmittelbarsten erlebte. Wimmer
schreibt, daß der tote König so »im See lag, daß seine beiden
Hände fast am Boden aufstanden und der Rücken aus dem
Wasser hervorragte. Lidl sagte, daß an dieser Stelle der See
nicht viel tiefer als einen Meter mißt. Auf dieses hin stiegen
Huber und Gumbiller sofort in den See, hoben den Körper
auf und riefen laut: ›Der König!‹ Lidl steckte entlang der
Längsseite des Kahns beide Ruder fest in den Boden, um so
den Kahn mit beiden Händen an den Rudern festhalten zu
können. Huber und Gumbiller hoben die Leiche, während
Dr. Müller und Liebmann zogen. So brachten sie zu viert die
Leiche des Königs in den Kahn.«

Dr. Müller machte sofort Wiederbelebungsversuche, die er-
folglos blieben. Huber schickte Wimmer und Schuster ins
Schloß, um eine geeignete Trage zu besorgen. Huber war es
auch, der einen Ast in den Seeboden steckte – da, wo sie
den König gefunden hatten. Dann wurde der Kahn gewendet und dabei fast Dr. von Gudden angefahren, der näher
zum Ufer, aber in derselben Stellung wie Ludwig im Wasser
lag. Er wurde von Huber und Gumbiller ans Ufer getragen
und von dort zum Schloß in ein Parterrezimmer gebracht. In
der Zwischenzeit war auch der Kahn mit dem König ange-
kommen. Die Leiche wurde auf eine improvisierte Trage mit
Matratze, Decke und Keilpolster gelegt und von sechs Mann
in das blaue Schlafzimmer im zweiten Stock hochgetragen.
Wimmer berichtet: »Noch einmal wandte Dr. Müller Wiederbelebungsversuche an und schnitt dabei dem König in
die Fußsohlen, doch war alles vergebens. Anschließend
richteten wir das Bett zu einem Paradebett her und holten
aus der Schloßkapelle sämtliche Leuchter, ungefähr zwölf
Stück.«

Im Lauf des nächsten Vormittags sammelte sich die gesamte
Bevölkerung der Umgebung vor dem Schloß. »... mit der
Drohung, daß sie sich mit Gewalt Einlaß verschaffen würden und: ›Ist der König wirklich tot, dann verläßt auch von
uns keiner lebend das Haus.‹« Es gelang, die Leute zu beschwichtigen und man wartete weiter auf die Kaiserin Elisabeth, die endlich als erste vor dem Toten kniete, ein Jasmin-
Bukett auf seine Brust legte und weinend ihm einen Hand-
kuß auf die Stirn gab.

Kaum war sie fort, drängte alles mit solcher Macht hinein,
daß das Personal in eine Ecke flüchtete. »... aus dem Todes-
zimmer wollten die Leute gar nicht mehr fort. Die meisten
nahmen sich Andenken mit, viele schnitten sich von den
Möbeln Stücke herunter, das Leintuch, auf dem der König
lag, wurde ganz zerschnitten, jeder möchte ein Stück als
Andenken haben... Für Gudden war es noch ein Glück,
daß er auch mit ertrank, wäre er ohne den König zurückge-
kommen, wäre er sofort von der fürchterlich aufgeregten

Menschenmenge erschlagen geworden. Man mußte ihn noch im Tode schützen, er wurde verspuckt und bestossen...«

Dies schreibt Augenzeuge Jakob Wimmer, der mit den übrigen Bediensteten auch in München bei der Sektion dabei gewesen ist. Doch findet sich in seiner »Wahrheitsgetreuen Niederschrift« nicht die geringste Andeutung über eine Schußwunde oder über blutgetränkte Kleider des Königs. Sicher waren die Schloßdiener robust genug, alle Aufregungen seelisch zu überstehen. Doch soll Gumbiller bald darauf in der Isar den Tod gesucht haben. Von Schuster heißt es, daß er in eine Irrenanstalt eingeliefert worden und dort bald gestorben sei. Nicht erwähnt ist in dem Wimmer-Bericht der Diener Hartinger, den dasselbe Schicksal getroffen haben soll, und ebensowenig hat Wimmer die nachweisbare Anwesenheit von mindestens zwei Gendarmen bemerkt. Einer starb auf ungeklärte Weise, der andere soll, mit enormen Geldmitteln ausgestattet, auf Nimmerwiederkehr nach Amerika gefahren sein. Erstaunlich waren auch die Aussagen dieser bewaffneten Gendarmen, die übereinstimmend erklärten, daß sie »nix, also rein gar nix!« gesehen oder gehört hätten. Wenn der König aber wirklich erschossen wurde, muß es Blutspuren gegeben haben. Nun, an der Uferstelle stand ein Bootshaus (das fast nie erwähnt wird) und darin habe man den erschossenen König zuerst versteckt, gewaschen und dann wieder ins Wasser gelegt. Anlaß zu diesem Gerücht gab die Tatsache, daß dieses Bootshaus sogleich nach der Katastrophe abgerissen wurde.

Die Version, daß einer der Gendarmen zwei im Wasser ringende Gestalten gesehen und sie nach Anruf »versehentlich« erschossen hätte, wurde aufgrund ihrer Harmlosigkeit nie geglaubt. Die »blutgetränkte Weste« des Königs aber beschäftigt heute noch die Geister – vor allem die Behauptung, daß sie später mit den übrigen Kleidern Ludwigs im Hof des Nymphenburger Schlosses verbrannt worden sei. Auch habe ein Wittelsbacher Prinz kurz vor seinem Tod dies drückende Geheimnis einem Freund anvertraut, um in Ruhe sterben zu können. Dann wieder soll eine Hofdame den Fischer Lidl direkt mit der Frage überfallen haben: »Gell, der König ist erschossen worden?« Und Lidl habe völlig überrascht gesagt: »Ja, woher wissen Sie denn das? Ich hab' gemeint, das weiß bloß ich!« In dem Legendenstück »Gewitter am See« läßt dessen Autor Wolfgang Christlieb sogar beide, den König und Dr. von Gudden, erschießen, womit er aber nur von dem Recht des Dichters Gebrauch macht; genausogut hätte er Ludwig in den Balkan entführen lassen können (auch dieses Gerücht wurde lange kolportiert). Doch hält sich Christlieb an die Volkspoesie, wenn er den König mit Gudden unmittelbar nach dem Doppelmord unter Wasser spazieren gehen läßt, kündet doch eine Legende: »Aufrecht steht er und geht er, unser Kini, da drunten auf dem Grund vom Starnberger See!«

Eine völlig neue Aufklärung des Dramas aber gab es im Jahre 1970: Weihbischof Dr. Johannes Neuhäusler verkün-

Der Augenzeuge: Schloßverwalter Jakob Wimmer

dete in der Münchner Michaelskirche in einer Predigt zum 125. Geburtstag des Märchenkönigs, daß Ludwig »in Betäubung« ums Leben gekommen sei. Martin Beck, der einstige Pfarrer von Aufkirchen, habe ihm berichtet, daß er einige Stunden lang während der Totenwache im Schloß die Züge des Toten studiert habe und dabei die feste Überzeugung gewonnen hätte, daß »dieser Mann nicht ertrunken ist«. Der Pfarrer hatte nämlich schon öfter Ertrunkene gesehen und sie alle sahen »anders« aus. Außerdem wußte Beck von einem Brief Dr. von Guddens, mit dem er seinen Eltern versicherte, daß »er immer ein Mittel bereithalte, um den körperlich ihm weit überlegenen König sofort schachmatt zu setzen«. Also müsse es Gudden gelungen sein, bei Ludwig ein Betäubungsmittel anzuwenden. Das wiederum entspricht der Aufzeichnung des Fischers Lidl *(Seite 161):* »Also kein Ringen – entweder wurde der König durch Klorivorm oder anders betäubt, oder Herzschlag.«

Vorstehend sind noch lange nicht alle Hypothesen angesprochen. Professor Dr. Hans Rall aber, Vorstand des Geheimen Hausarchivs, stellt in seiner Biographie König Ludwig II. (Verlag Schnell & Steiner, München und Zürich, 1977) abschließend fest: »Das Protokoll nennt keine Todesursache. Für keine der darüber aufgestellten Theorien gibt es bis heute zwingende Beweise.« Und so bleibt der Tod des Märchenkönigs ein unlösbares Rätsel, das genauso wie die Liebe zu ihm und dem Leuchten seiner Schlösser zu Bayerns lebendigem Volksgut gehört.

Die Gedächtniskapelle am Ufer des Starnberger Sees

Die Unglücksstätte war einen Tag nach dem Drama mit einer Stange markiert worden, an der ein weißblaues Fähnchen flatterte. Dann wurde dort ein einfaches Kreuz errichtet, und Prinzregent Luitpold ließ landeinwärts eine Gedenksäule aufstellen. Eine sogenannte »Totenleuchte«, im gotischen Stil, mit einem gewundenen, gekehlten Schaft *(im Bild vorn)*. Zehn Jahre später endlich, am 13. Juni 1896, fand in Gegenwart des Regenten die Grundsteinlegung zu einer »Gedächtniskirche« statt, und nach weiteren vier Jahren, wieder auf den Tag genau, kam die Einweihungsfeierlichkeit. Die »Kapelle«, wie sie nun genannt wurde, ist im frühromanischen Stil als Zentralbau, als Kuppelhalle, erbaut, und damit wurde auf Ludwigs Gedanken an den »Gral« eingegangen. Der Entwurf stammte von Oberhofbaurat Julius Hofmann, der ab 1884 den Bau Neuschwansteins geleitet hatte. Bei der Finanzierung des Werkes »haben die Kuratoren des Vermögens des Königs Otto den Intentionen des Regenten das bereitwilligste Entgegenkommen bethätigt«. Das Kreuz am See *(links)* wird alljährlich, am Todestag Ludwigs, vom »Verein zur Wiedererrichtung eines Denkmals für König Ludwig II. von Bayern« mit einem Kranz geschmückt. Zur Kapelle pilgern das ganze Jahr über Besucher, auch werden viele Blumen dort niedergelegt.

»Die Woge wallt und prallt zurück,
Ohn' Unterlaß in gleichem Ton:
So wechselt stets das Menschenglück
In Hütte und auf Königsthron.

Doch oben fest die Kirche steht,
Nicht rührt an sie des Lebens Streit,
Erzählt von Treu', die nie vergeht,
Von Gott und seiner Ewigkeit.«

Linke Seite: Modell der projektierten Burg Falkenstein, 1884. Mit ihr wollte der König eine »Raubritterburg« haben. Die Pläne schuf Max Schultze, fürstlich Thurn- und Taxisscher Oberbaurat. Die Burg sollte auf dem Falkensteinfelsen bei Pfronten stehen. Straße und Wasserleitung wurden noch hochgeführt – zum Bau selber war kein Geld mehr da.

Schimmernd sieht Schloß Neuschwanstein ins Land, auf Felsen-
grund hochragend, ein steinernes, weltberühmtes Wunder. An
einem der landschaftlich schönsten Punkte des bayerischen Gebirges
erbaut, kündet die weiße Burg von dem romantischen und hohen
Sinn des Königs, der mit ihr seinen Gral beschwor.

Rechts: Ludwig II. als Georgiritter. Das ist der Märchenkönig, der
einmal Bayerns Herrscher war . . . »Im Glanz der Jugend, im Feuer
idealistischer Begeisterung, gesund und kräftig, voll angeborener
Würde, gepaart mit einem durch keinen Hauch getrübten Seelen-
adel« – so eroberte er die Herzen des Volkes.

Unvergessen
bleibt sein Schicksal:

Er war ein König,
und er starb daran!

In der Gnadenkirche zu Altötting steht die silberne Urne *(rechts)*, die das Herz Ludwigs II. umschließt. Sechzig Zentimeter hoch, auf schwarzem Marmorsockel, zeigt sie auf beiden Seiten je ein Sträußchen Alpenrosen und Edelweiß. Das Doppel-L auf der Vorderseite wird von einer Krone überragt, der Verschluß auf der Rückseite trägt das Bayerische Wappen.

Linke Seite: Eine Fahnenabordnung des Trachtenvereins »König Ludwig II., Schloß Berg-Stamm« senkt ihre weißblauen Banner symbolhaft für die Liebe und Treue, die dem Märchenkönig aus dem Hause Wittelsbach heute noch im Bayernland entgegengebracht wird.

Anhang

Zeittafel

1845   25. August: Prinz Ludwig wird als Sohn des bayerischen Kronprinzen Maximilian und seiner Gemahlin Marie, einer Prinzessin von Preußen geboren.
26. August: Taufe auf den Namen Otto Ludwig Friedrich Wilhelm am Geburtstag und Namensfest des Großvaters Ludwig I. (1825–1868).

1848   20. März: Ludwig I. verzichtet nach seiner Romanze mit Lola Montez zugunsten seines Sohnes Maximilian auf die Krone.
27. April: Ludwigs Bruder Otto kommt zur Welt. Die monarchische Herrschaft wird durch ein Staatsgrundgesetz beschränkt.

1861   Der 16jährige Kronprinz Ludwig darf die erste Wagner-Oper »Lohengrin« besuchen.

1864   10. März: König Maximilian stirbt nach kurzer Krankheit. Ludwig II. wird König und leistet den traditionellen Eid.
4. Mai: Erstes Zusammentreffen mit Richard Wagner. Pläne für ein Monumental-Theater in München.
Im Juni: Begegnung mit Elisabeth, Kaiserin von Österreich, in Bad Kissingen und mit der Kaiserin von Rußland in Bad Schwalbach.

1865   11. Mai: Generalprobe für Wagners »Tristan und Isolde«;
10. Juni: Uraufführung im Königlichen Hof- und Nationaltheater in München.
10. Dezember: Richard Wagner muß auf Betreiben des Kabinettsekretärs Pfistermeister München verlassen.

1866   Bismarck strebt die Verdrängung Österreichs aus dem Deutschen Bund an. – Bayern versucht vergeblich zwischen Österreich und Preußen zu vermitteln.
10. Mai: Ludwig II. unterschreibt nach langem Zögern den Mobilmachungsbefehl und trägt sich erstmals mit Abdankungsgedanken.

22. Mai: Der König soll den Landtag eröffnen, reist aber heimlich zu Wagner in die Schweiz. – Die Thronrede hält er am 27. Mai.
3. Juli: Die Schlacht von Königgrätz wird zur Katastrophe der österreichischen Armee; Süddeutsche und Preußen stoßen zusammen.
22. August: Friedensvertrag sowie Schutz- und Trutzbündnis mit Preußen, ohne die von Ludwig II. geforderten Garantien.
10. November: Ludwig II. reist in die vom Krieg heimgesuchten bayerischen Provinzen.

1867   22. Januar: Verlobung mit Sophie, Tochter des Herzogs Maximilian von Bayern, Schwester der Kaiserin Elisabeth von Österreich.
Im Juli reist Ludwig II. zur Weltausstellung nach Paris. Mehrmalige Verschiebung des Hochzeitstermins: vom 25. August auf den 12. Oktober, schließlich auf den 12. November.
10. Oktober: Ludwig II. löst seine Verlobung.

1868   29. Februar: Tod König Ludwigs I.
21. Juni: Uraufführung der »Meistersinger«, Triumph für Richard Wagner.
Im August: Erneute Begegnung mit dem russischen Kaiserpaar in Bad Kissingen und auf Schloß Berg.
Erste Planungen für die Schlösser Linderhof und Neuschwanstein.

1869   5. September: Der Grundstein zu Schloß Neuschwanstein wird gelegt:
22. September: »Rheingold« aus Wagners »Ring des Nibelungen« wird uraufgeführt.

1870   15. Juli: Frankreichs Kriegserklärung an Preußen, ausgelöst durch die »Emser Depesche« (13. Juli), deren Formulierung Bismarck durch Kürzung verschärfte.
16. Juli: Ludwig II. erteilt den Mobilmachungsbefehl.
– Krieg an der Seite Preußens gegen Frankreich.

Kronprinz Friedrich von Preußen Befehlshaber der süddeutschen Truppen.
2. September: Sieg der deutschen Armee bei Sedan unter Mitwirkung des 1. Bayerischen Armeekorps, geführt von Freiherr von der Tann.
Verhandlungen mit Bismarck über ein Verfassungsbündnis.
3. Dezember: Der »Kaiserbrief«, Ludwig II. trägt dem preußischen König die Kaiserkrone an.

1871 18. Januar: Die Kaiserproklamation im Spiegelsaal von Schloß Versailles.
Das Bayerische Parlament billigt die Versailler Vereinbarungen.
16. Juli: Siegesfeier in München.

1872 22. Mai: Der Grundstein zum Festspielhaus in Bayreuth wird gelegt.
Bau des königlichen Jagdhauses am Schachen.

1873 Ludwig II. kauft die Insel Herrenwörth im Chiemsee.

1874 6. Mai: Erste der zahlreichen »Separatvorstellungen« im Hoftheater.
20. August: Ludwig II. reist als »Graf von Berg« nach Versailles.
25. August: Kaiser Wilhelm I. garantiert in einem Brief die Selbständigkeit Bayerns.
Der Wintergarten in der Münchner Residenz gewinnt Gestalt.

1875 Die Geisteskrankheit des Prinzen Otto, Bruder Ludwigs II., verstärkt sich. Er lebt isoliert in Schloß Fürstenried.

1876 Im August: Ludwig II. besucht die Hauptproben zum »Ring des Nibelungen« in Bayreuth. – Eröffnung des Festspielhauses.
Schloß Linderhof vollendet.

1878 21. Mai: Der Grundstein zu Schloß Herrenchiemsee wird gelegt.

1880 700jähriges Jubiläum des Hauses Wittelsbach.

1883 13. Februar: Richard Wagner stirbt in Venedig.

1886 Die Finanznot spitzt sich zu, der König kann das Geld für die Bauten nicht mehr aufbringen. – Auch die Kabinettskasse muß saniert werden.
8. Juni: In einem Gutachten, erstellt von Dr. von Gudden und zwei weiteren Ärzten, wird Ludwig II. für »unheilbar geistesgestört und regierungsunfähig auf Lebenszeit« erklärt.
9. Juni: Ludwig II. wird entmündigt. – Er läßt eine Staatskommission, die ihn in Schloß Neuschwanstein abholen soll, festsetzen.
Graf Dürckheim, der getreue Flügeladjutant, wird in München bei dem Versuch, die Interessen des Königs zu wahren, verhaftet.
Ludwig II. schlägt alle Fluchtangebote aus und trägt sich mit Selbstmordabsichten.
10. Juni: Prinz Luitpold, dem zweiten Sohn Ludwigs I., wird die Regentschaft an Stelle des für regierungsunfähig erklärten Ludwig II. übertragen.
11. Juni: In der Nacht wird Ludwig von Dr. von Gudden, in Begleitung eines weiteren Arztes und von fünf Pflegern, in Schloß Neuschwanstein festgenommen und am 12. Juni nach Schloß Berg gebracht.
13. Juni: Ludwig II. und Dr. von Gudden kehren von einem gemeinsamen Spaziergang nicht zurück. Man findet beide noch am selben Tag tot im Starnberger See.
15. Juni: Ludwig II. wird in der Hofkapelle aufgebahrt. – Tausende nehmen von ihrem König Abschied.
18. Juni: Beisetzungsfeierlichkeiten unter großer Anteilnahme der Bevölkerung.

Quellenverzeichnis

Schier unermeßlich ist die Literatur um Ludwig II. Nachstehend sind nur jene Werke verzeichnet, die für das vorliegende Buch als Quellen benutzt wurden.

Jacques Bainville: »Louis II de Bavière«, A. Fayard et Cie., Paris. – Ludwig Below: »Dem Toten die Ehre«, Bayerischer Volksverlag, München. – Gottfried von Böhm: »Ludwig II. von Bayern«, Verlag Hans Robert Engelmann, Berlin, 1922. – Egon Caesar Conte Corti: »Ludwig I. von Bayern«, Bruckmann, München, 1960 (7. Aufl. 1979). – M. Doeberl: »Entwicklungsgeschichte Bayerns«, dritter Band, herausgegeben von Max Spindler, Verlag von R. Oldenbourg, München, 1931. – Corbinian Ettmayr: »Die Gedächtniskapelle für König Ludwig II.«, Verlag der Gesellschaft für christliche Kunst, München, 1901. – Philipp Fürst zu Eulenburg-Hertefeld: »Das Ende König Ludwigs II. und andere Erlebnisse«, Fr. Wilh. Grunow Verlag, Leipzig. – Otto Gerold: »Die letzten Tage von König Ludwig II.«, Erinnerungen eines Augenzeugen«, Caesar Schmidt Verlag, Zürich, 1903. – Hans Goldschmidt, Hans Kaiser, Hans Thimme: »Ein Jahrhundert Deutscher Geschichte«, Reichsgedanke und Reich, 1815–1919. Verlag von Reimar Hobbing, Berlin, 1928. – Maximilian Harden: »Köpfe«, Erich Reiß Verlag, Berlin, 1911. – Louise von Kobell: »König Ludwig II. von Bayern und die Kunst«, Kunstverlag von Jos. Albert, München, 1898. – Heinrich Kreisel: »Die Schlösser Ludwigs II. von Bayern«, Franz Schneekluth Verlag, Darmstadt. – Friedrich Rudolph Kreuzer: »Unser Bayernland in Wort und Bild«, Commissionsverlag von Ernst Wiest Nachf., Leipzig. – Fritz Linde: »Ich, der König«, Der Untergang Ludwigs des Zweiten. Georg Kummer's Verlag, Leipzig, 1926. – Klaus Mann: »Vergittertes Fenster«, Novelle um den Tod des Königs Ludwig II. von Bayern. S. Fischer Verlag, 1960. – Anton Memminger: »Der Bayernkönig Ludwig II.«, Gebrüder Memminger, Würzburg, 1919. – Franz Carl Müller: »Die letzten Tage König Ludwigs II. von Bayern«, nach eigenen Erlebnissen geschildert, Fischer's Medicin, Berlin, 1888. – Eugen Müller-Münster: »Elisabeth Ney«, Verlag Koehler und Amelang, Leipzig, 1931. – Guy de Pourtalès: »König Hamlet«, Ludwig II. von Bayern. Urban-Verlag, Freiburg i. Br., 1929. – Hans Reidelbach: »Luitpold, Prinzregent von Bayern«, Reidelbach'scher Verlag, München, 1892. – Werner Richter: »Ludwig II. König von Bayern«, Bruckmann, München, 1958 (10. Aufl. 1982). – Walter Rummel: »König und Kabinettchef.« Aus den Tagen Ludwigs II., Franz Hanfstaengl, München, 1919. – Walter Schmidkunz: »Das leibhaftige Liederbuch«, Gebr. Richters Verlagsanstalt, Erfurt, 1938. – Hans Thoma: »Amtliche Führer« der Bayerischen Verwaltung der Staatlichen Schlösser, Gärten und Seen, München. – Karl Tschuppik: »Elisabeth, Kaiserin von Österreich«, Verlag Dr. Hans Epstein, Wien und Leipzig, 1929. – Karl Winterfeld: »Vollständige Geschichte des Deutsch-Französischen Krieges von 1870/71«, Gustav Hempel, Berlin, 1871. – Paul Wiegler: »Josef Kainz«, Deutscher Verlag, Berlin, 1941. – Georg Jakob Wolf: »König Ludwig II. und seine Welt«, Franz Hanfstaengl, München, 1926.

Bildnachweis

Die Ziffern bezeichnen die Anzahl der in diesem Werk wiedergegebenen Bilder bzw. Leihgaben.
Staatliche und städtische Sammlungen und Museen:
Bayerische Verwaltung der Staatlichen Schlösser, Gärten und Seen, München, 29 und Farbbilder Seite 17, 68, 69, 89, 97. – Bundesbahndirektion Nürnberg, Eisenbahnmuseum, 2. – Staatliche Münzsammlung, München, 2. – Stadtmuseum München, 39. – Theatermuseum, Clara-Ziegler-Stiftung, München, 16.
Fotografen, Fotoarchive, private Sammlungen und Verlage:
Lala Aufsberg, Sonthofen im Allgäu, 12. – Gloria-Film, 1. – Harro Dau, München, 4. – Li Erben, München, 13. – Historisches Bildarchiv Handke-Berneck, 9. – Franz Hanfstaengl, München, 18. – J. Heigenhauser, 1. – M. Herpich, München, Farbbild Seite 131. – Theodor Hierneis: »Der König speist«, im Heimeran-Verlag, München, 1. – H. Huber, Garmisch-Partenkirchen, Farbbild Seite 115. – Dr. A. Jüthner, Siegsdorf, 13. – Keystone, Int. Presseagentur, München, 2. – Löbl-Schreyer, Bad Tölz, Farbbild Seite 96. – Werner Neumeister, München, Farbbilder Seite 100/101, 130. – Sammlung N. H. 1. – »Münchener Punsch«, 3. – Wolfgang Schade: »Europäische Dokumente«, Union Deutsche Verlagsgesellschaft, Stuttgart, 2. – T. Schneiders, Lindau, Farbbild Seite 115. – Rupert Stöckl, München, 13 und Farbbilder Seite 35, 61, 163. – Albert Widemann, Mühltal, 2. – Die übrigen Bilder und Dokumente stammen vom Verlag Bruckmann und aus der Sammlung des Verfassers.

Der Verfasser sagt an alle obengenannten Staatlichen und Städtischen Museen, Sammlungen und Verwaltungen seinen besonderen Dank für alle liebenswürdige Hilfe, ebenso dem Verlag Franz Hanfstaengl wie den Herren Dr. A. Jüthner, Rupert Stöckl, Fritz Schwegler und Albert Widemann.